PILATES EN CASA

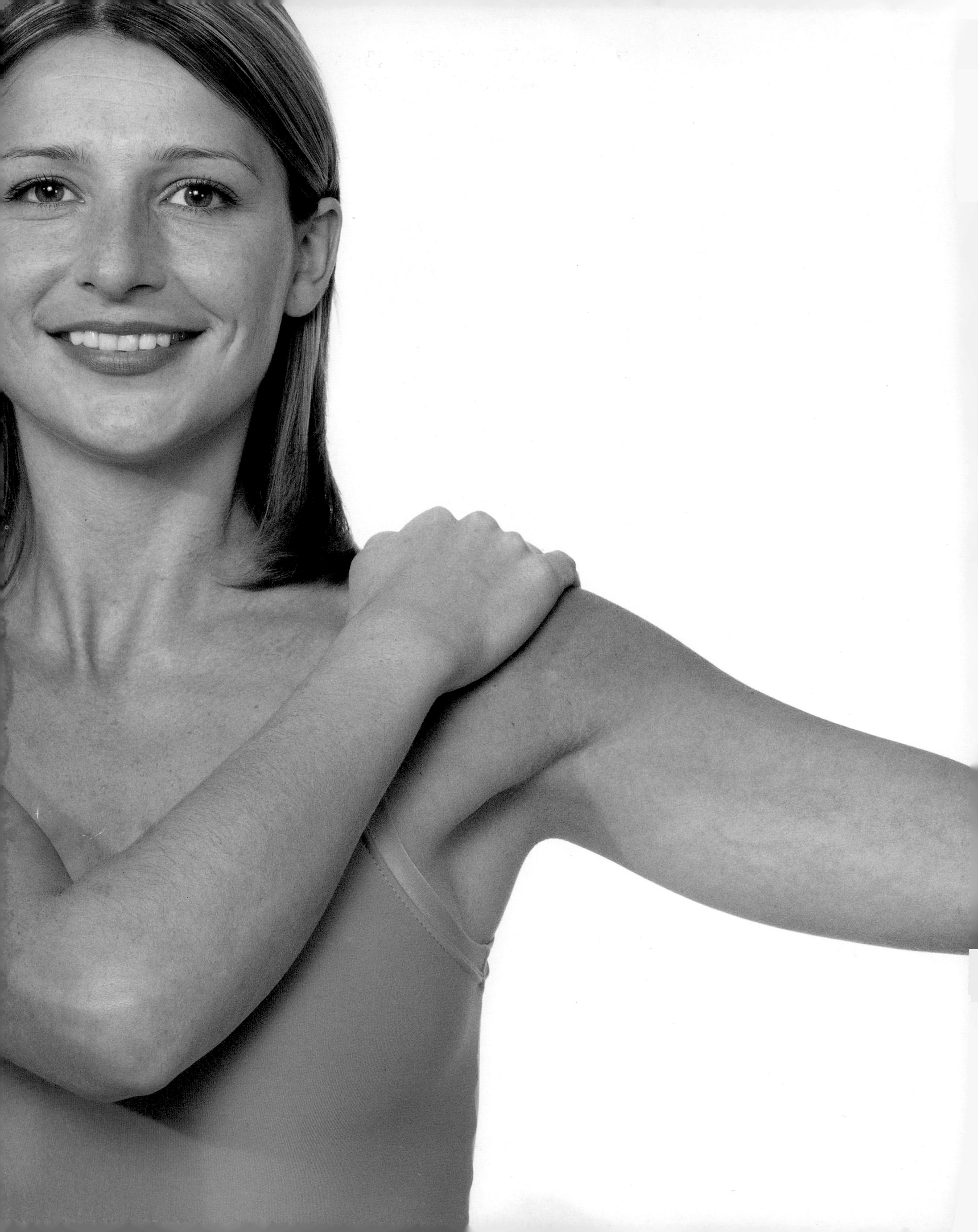

PILATES EN CASA

Ejercicios, recetas y consejos para ponerse en forma paso a paso

ANN CROWTHER
CON HELENA PETRE

Para mis hermosas hijas, Francesca y Georgina: os adoro.

Pilates en casa
Título original: *Pilates for You*
Autora: Ann Crowther
Asesora lingüística: Helena Petre
Editora jefa: Judy Barratt
Editoras: Ingrid Court-Jones y Hanne Bewernick
Diseñadora jefa: Manisha Patel
Diseñadores: Gail Jones y Emma Rose
Fotógrafo: Andy Kingsbury
Traducción: Carles Andreu
Composición: Anglofort

Publicado originalmente por Duncan Baird Publishers

Pérez Galdós, 36 – 08012 Barcelona
rba-libros@rba.es
www.rbalibros.com

Segunda edición: febrero 2005

ISBN: 84-7871-096-5
Ref. GO-104

Antes de seguir los ejercicios y consejos de este libro, recomendamos que consulte con su médico si son adecuados para usted, especialmente si sufre algún tipo de problema de salud. Los editores, la autora, la asesora lingüística y el fotógrafo no aceptan ninguna responsabilidad por cualquier daño o perjuicio ocasionado como resultado de seguir los ejercicios de este libro o cualquiera de las técnicas terapéuticas descritas o mencionadas.

«Si puedes hacer o soñar algo, empieza ahora. La audacia tiene genio, poder y magia. Empieza ahora.»

Johann Wolfgang von Goethe, 1749-1832

ÍNDICE

INTRODUCCIÓN

La juventud eterna era la tentadora promesa del método de entrenamiento personal Pilates, del que oí hablar por primera vez a los veinte años, mientras daba clases en un estudio de California. Aunque me pareció curioso, olvidé el método Pilates y me centré en el aeróbic de alto rendimiento, que llevé a Inglaterra y allí me dediqué a enseñarlo. En esos tiempos emocionantes de «sentir el calor» y de ejercicios enérgicos de moda aún no sabía que un día la técnica Pilates me libraría de un futuro seguro en una silla de ruedas y, a su vez, me permitiría salvar la vida de innumerables clientes.

Cuando el complicado parto de mi primera hija empeoró mis problemas de columna y me abocó a una depresión posparto, me interesé por la nutrición. Pronto comprendí que la combinación de una alimentación sana y ejercicio regular podía ayudarme a salir de ese túnel. Así nació mi fascinación por el *fitness* de cuerpo y mente.

Hace doce años, cuando ya tenía dos hijas, me convertí en una veterana estudiante de Salud y *Fitness* en la Universidad de East London. Sin embargo, y por desgracia, sufría también una escoliosis (curvatura anormal) de la columna vertebral, que me debilitaba cada vez más. Mi fisioterapeuta opinaba que quedaría confinada en una silla de ruedas a los cincuenta años y que no había nada que hacer. Me negué a aceptar su pronóstico: aquél *no* iba a ser el resorte para cambiar mi futuro. Recuperé mis conocimientos sobre el sistema Pilates y comencé a introducirlo paulatinamente en mis clases de ejercicios. Al cabo de un par de meses, no sólo mis estudiantes experimentaron sustanciales cambios corporales sino que, ¡oh milagro!, yo misma dejé de necesitar tratamiento quiropráctico para mi escoliosis. Actualmente, médicos, osteópatas, quiroprácticos, ginecólogos y fisioterapeutas me remiten sus pacientes. Muchos de esos profesionales han experimentado personalmente los beneficios de mis clases.

Joseph Pilates dijo: «La mente modela el cuerpo». Tras años de desarrollar y perfeccionar mi propia técnica, creo que he conseguido dar un enfoque apasionante y muy útil a este tratamiento de salud y *fitness* para vivir, que aborda cuerpo y mente como un todo. He tomado como base la técnica Pilates y le he incorporado mi propia filosofía: debemos alimentar todo nuestro ser. La vida no consiste simplemente en ejercitar nuestro cuerpo; también se basa en alimentarnos con comida deliciosa, desarrollar todo el poder de nuestra mente, y reconocer y mimar nuestro lado espiritual.

Una y otra vez, vienen a visitarme clientes que sufren un problema físico que ha llegado a un punto insostenible, como dolor de espalda, tortícolis o niveles de energía crónicamente bajos. En primer lugar, estudio su estilo de vida, pasado y presente, y entonces recurro a la práctica kinesiológica de test muscular, ya que, en mi opinión, los músculos reflejan no sólo la fuerza o debilidad de una persona, sino también sus estados mentales y emocionales. Finalmente, elaboro un programa personal de estilo de vida que ayudará al cliente a resolver sus problemas.

Personalmente, tengo mucho que agradecerle a Joseph Pilates. En primer lugar, y lo más importante, es gracias a sus técnicas que hoy gozo de una espalda fuerte y sin dolores. A mis 45 años, mi peso es el mismo hoy que cuando tenía 18, y he mejorado mucho mi forma y tono físicos. Voy a correr con regularidad, dirijo mi propio negocio, doy clases de ejercicios y cuido de mi familia. Además de todo eso, he encontrado una energía y una felicidad interiores que jamás antes habría soñado. Siguiendo los ejercicios y los consejos sobre nutrición y estilo de vida que he incluido en este libro, también usted puede alcanzar una vida más sana y satisfactoria. Pruébelo y descúbralo usted mismo.

Ann Crowther

LA HISTORIA DE JOSEPH PILATES

Joseph Pilates nació en 1880 cerca de Düsseldorf, Alemania. Fue un niño enfermizo y tuberculoso que se interesó por el yoga, el culturismo, las artes marciales y otros sistemas de ejercicio como posibles métodos para mejorar su salud y su forma física. Pilates empezó a desarrollar un revolucionario régimen de ejercicios (una fusión holística de las filosofías oriental y occidental) al que llamó *Contrología* y que más tarde se popularizaría como *Técnica Pilates*. A lo largo de su vida, Pilates continuó investigando diversos deportes y regímenes de *fitness*, y se convirtió en un gimnasta de primer orden, boxeador profesional y un consumado esquiador y saltador.

Al estallar la primera guerra mundial, Joseph Pilates se encontraba en Inglaterra enseñando defensa personal a los detectives de Scotland Yard, pero fue encarcelado por su nacionalidad. Decidido a no abandonar sus clases de *fitness*, Pilates ideó un ingenioso método de ejercicio utilizando la resistencia de los muelles de su cama de la cárcel. (Actualmente, en los centros de Pilates se sigue utilizando una versión moderna de la cama de Pilates: la máquina reformadora.) Tomando la cama como punto de partida, creó una serie de ejercicios en los que utilizaba poleas y pesos, y que realizaba a diario junto con un grupo de internos. Cuando Pilates y los miembros de su grupo de ejercicio lograron no contraer el fatal virus de la gripe que azotó Gran Bretaña en 1918, Pilates concluyó que su técnica fortalecía también el sistema inmunológico del organismo. Eso despertó en él –para siempre– el interés por desarrollar ejercicios de rehabilitación tras enfermedades y lesiones.

Después de la guerra, Pilates regresó a Alemania, donde se convirtió en preparador de la policía de Hamburgo. Fue en su país donde se aproximó por primera vez al mundo de la danza y trabajó codo con codo con Rudolf von Laban, creador del sistema de notación de baile que la mayoría de los bailarines de ballet siguen utilizando hoy día. También entrenó a muchos bailarines famosos, cuya agotadora actividad les exigía poseer una fuerza y una agilidad tremendas sin desarrollar la masa muscular.

En 1926 Pilates emigró a los Estados Unidos, y fue durante la travesía transoceánica desde Europa que conoció a su futura esposa Clara. Juntos abrieron el primer centro Pilates en Nueva York, en un local compartido con el New York City Ballet. Tras atraer la atención de varios miembros de la elite social neoyorquina, su técnica cuajó en el ambiente de deportistas profesionales, actores y actrices, y entrenadores personales, hasta que obtuvo el reconocimiento y la popularidad de la que goza hoy en día. El propio Pilates se mantuvo en muy buena forma durante mucho tiempo y siguió entrenando a sus clientes hasta pasados los 80 años. Murió en 1967, ni más ni menos que a los 87 años de edad.

CÓMO UTILIZAR ESTE LIBRO

Este libro se divide en tres capítulos, diseñados para proporcionarle un programa que le permitirá diseñar un estilo de vida completo.

En el Capítulo 1 expongo los principios que se esconden tras la técnica Pilates e invito a examinarse detenidamente y a prestar atención a su postura. A continuación, introduzco paulatinamente el programa de ejercicios, que puede realizar fácilmente en su propia casa. Los ejercicios se centran sistemáticamente en los principales grupos musculares del cuerpo. En el libro se presta mucha atención a la respiración, alineación y técnica correctas, y a estirar los músculos apropiados tras cada serie de ejercicios. Si bien es importante señalar que la aplicación de los ejercicios de la técnica Pilates puede suponer un desafío y exige entrega, los beneficios que se obtienen son múltiples. Entre ellos se encuentran el incremento de la fuerza muscular sin generar masa, el desarrollo de un soporte estructural correcto para la columna, o aprender a respirar de forma controlada. Los ejercicios estimularán sus niveles de energía, le ayudarán a liberar tensión física y mental, harán que se sienta más descansado y relajado, y que desarrolle una imagen personal más positiva.

En el Capítulo 2 se introducen comidas estupendas desde el punto de vista de la nutrición, la buena salud y, por supuesto, del placer. Aquí no encontrará dietas de adelgazamiento. Al contrario, aprenderá a lograr el peso y la forma corporal óptimos sin negar su propio apetito. También he incluido una selección de mis recetas favoritas para desayunos, comidas, cenas y tentempiés deliciosos. ¡Ha llegado la hora de embarcarse de por vida en una relación amorosa con la comida!

El Capítulo 3 se centra en la vertiente metafísica, a menudo desatendida, y muestro cómo alimentar y educar la mente, el espíritu y el cuerpo. En este apartado encontrará una guía de meditación, consejos sobre técnicas de autocuración y un apartado centrado en la importancia de reírse (un elemento permanentemente presente en mis clases), así como métodos para llevar a cabo sus sueños y para dormir bien por la noche.

Este libro se dirige a todos los públicos: hombres y mujeres, jóvenes y ancianos, y personas en cualquier estado físico. Si comienza con mi programa siendo joven, su trayectoria vital partirá desde el punto más sano posible. Si es ya mayor y no goza de un estado físico muy bueno, no se preocupe: cuente con mi ayuda. Es cierto que al envejecer perdemos flexibilidad, masa muscular y densidad ósea, pero mi método está diseñado para ayudarle a invertir el proceso de envejecimiento, transformar su aspecto y sus sentimientos, y proporcionarle energía Pilates para su cuerpo, mente y espíritu. Con un poco de esfuerzo por su parte, descubrirá que éste es un programa divertido que puede obrar en su persona milagros físicos y mentales.

SÍMBOLOS UTILIZADOS EN EL LIBRO

información importante · variación para principiantes · variación avanzada

PROGRAMA PARA EL BIENESTAR

Para ayudarle a sacar el máximo partido de este libro, he elaborado un *Programa para el bienestar*, que incorpora ejercicios Pilates del Capítulo 1, la alimentación sana del Capítulo 2, y los cambios hacia un estilo de vida positivo del Capítulo 3. Siguiendo la teoría de que se requieren entre tres y cuatro semanas para crear un hábito, el programa está pensado para que dure unas cuatro semanas.

La primera semana será la que le resulte más dura, porque deberá adaptarse a una nueva rutina y necesitará algo de preparación y planificación previas. Sin embargo, una vez haya completado esa primera semana, el resto será mucho más fácil y al terminar el mes los beneficios conseguidos serán evidentes.

Si durante el programa una noche se acuesta tarde por un compromiso social o se olvida del programa por cualquier motivo, no se sienta culpable. Darse algún gusto y ser indulgente de vez en cuando con algún capricho también forma parte del nuevo estilo de vida positivo que pretendemos desarrollar. Limítese a continuar normalmente con el programa al día siguiente: los beneficios seguirán siendo suyos.

1ª SEMANA

Cuerpo

- La noche antes de comenzar el programa, vaya a dormir media hora antes para poder levantarse media hora antes a la mañana siguiente. Prepare el despertador para que suene a esa hora.
- Durante la media hora extra que habrá ganado por la mañana, dé un paseo rápido (ver páginas 134-135).
- Realice la *Sesión de ejercicios Pilates para principiantes* (ver página 88).

Nutrición/Comida

- Comience el día bebiendo una taza de agua caliente con una rodaja de limón; a continuación coma una fruta y tome dos vasos de agua fría.
- Prepare y tome un desayuno elegido de entre las recetas de las páginas 104-106. Saboree cada bocado.
- A media mañana coma una fruta fresca como tentempié.
- Tras los ejercicios, beba dos vasos de agua.
- Antes de comer, beba dos vasos de agua.
- Prepare y tome una comida elegida de entre las recetas de las páginas 107-109. Siéntese lejos de su lugar de trabajo para comer.
- Beba dos vasos de agua antes de cenar.
- Prepare y tome una cena elegida de entre las recetas de las páginas 110-113.
- Ponga la mesa para el desayuno de la mañana siguiente.

Mente

- Antes de ir a dormir, piense en algo positivo que le haya llamado la atención durante el día: puede ser algo que hizo bien, una flor hermosa que haya visto o un cumplido que le hayan hecho. Sonría y felicítese por haber tenido un buen día. Recuérdese sus buenas cualidades. Plantéese el mañana como un día nuevo y lleno de emociones.

Estilo de vida

- Este fin de semana planifique una larga caminata con un amigo.
- Compre flores frescas para su casa.

2° SEMANA

Cuerpo

- Continúe levantándose media hora antes cada mañana.
- Incremente la duración del paseo.
- Realice la *Sesión de 10 minutos de ejercicios Pilates para principiantes* (ver página 88).
- Al final de la sesión, *cierre la cremallera de su aura* (ver páginas 126-127) para disfrutar de una mayor energía.
- Haga cinco flexiones del fondo pélvico diez veces al día (ver páginas 24-25).
- Cada vez que se ponga en pie o camine hacia alguna parte, *ponga las luces largas* (ver página 27).

Nutrición/Comida

Como durante la 1ª semana.

- Asegúrese de que tres de las comidas de esta semana contengan pescado azul.

Mente

- Encuentre diez minutos cada tarde para comenzar a meditar.

Estilo de vida

- Este fin de semana, vea una serie de humor o lea un libro divertido y desterníllese de risa.
- Compre flores frescas para su casa.
- Piense en algún tipo de afirmación personal (ver página 137).

3ª SEMANA

Cuerpo

- Continúe levantándose media hora antes cada mañana.
- Incremente de nuevo la duración del paseo.
- Realice la *Sesión de 30 minutos de ejercicios Pilates para principiantes* (ver página 88).
- Al final de la sesión, *cierre la cremallera de su aura* (ver páginas 126-127) para disfrutar de una mayor energía.
- Comience a tomar un buen suplemento antioxidante diario.

Nutrición/Comida

Como durante la 2ª semana.

- Compre algunas frutas exóticas y vegetales poco corrientes (algunos que no haya probado antes) e inclúyalos en sus comidas.

Mente

- Aumente el tiempo de meditación hasta 15 minutos.
- Escriba su afirmación y colóquela en algún lugar donde pueda verla bien, como en el tocador o en el ordenador, y repítasela a menudo.

Estilo de vida

- Este fin de semana compre flores frescas para su casa y para alguien a quien quiera.
- Obsequie a alguien con un cumplido diario.

4° SEMANA

Cuerpo

- Continúe levantándose media hora antes cada mañana.
- Incremente de nuevo la duración del paseo.
- Realice la *Sesión de 30 minutos de ejercicios Pilates para principiantes* o pase a alguna de las secuencias intermedias (ver página 89).

Nutrición/Comida

Como durante la 3ª semana.

- Asegúrese de que come despacio y saborea la textura y el sabor de cada bocado.

Mente

- Aumente el tiempo de meditación hasta los veinte minutos.

Estilo de vida

- Este fin de semana haga una fiesta con amigos: invítelos a comer y brinden por su nuevo ser con una botella de champán o de vino espumoso.
- Compre flores frescas para su casa y para alguien a quien quiera.
- Obsequie a alguien con un cumplido diario.
- Sonría a una persona cada día.

ANTES DE ABORDAR LOS EJERCICIOS PILATES DEBE DOMINAR UNA SERIE DE ASPECTOS BÁSICOS Y PRINCIPIOS CLAVE DEL MÉTODO PILATES.

COMIENCE POR EXAMINARSE DETENIDAMENTE Y PRESTE ATENCIÓN A SU POSTURA; LUEGO FAMILIARÍCESE CON EL MÉTODO PILATES DE RESPIRACIÓN Y LAS TÉCNICAS PARA MANTENER LA COLUMNA RECTA Y LA ESTABILIDAD CENTRAL. UNA VEZ COMPRENDIDOS ESTOS PRINCIPIOS ESTARÁ PREPARADO PARA DAR EL SALTO A MIS EJERCICIOS PILATES ESPECIALMENTE ADAPTADOS.

PRINCIPIOS BÁSICOS

... EXAMÍNESE

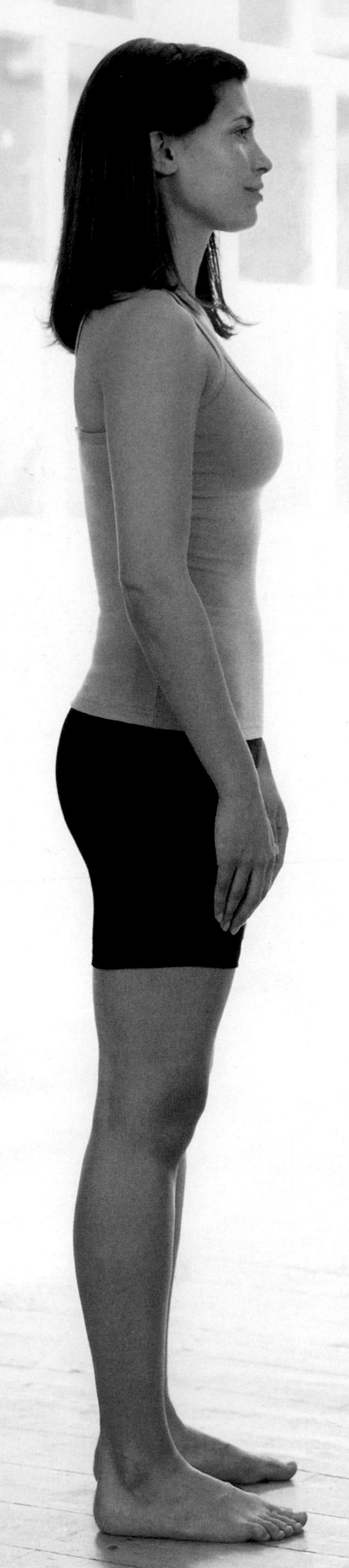

Adoptar una buena postura no significa sólo estar erguido. En parte se trata de lograr un determinado estado mental y en parte, de adquirir unos buenos hábitos. La salud de cualquier sistema corporal depende de ello. Entre las recompensas destacan una gran energía y vitalidad, ganas de vivir al máximo, y una aureola de belleza y salud. Antes de comenzar cualquier régimen de ejercicios es importante examinar la propia postura.

Sitúese delante de un espejo de cuerpo entero, preferiblemente en ropa interior, y examine su postura natural, tanto de frente como de costado. Utilice otro espejo para ver su parte trasera. ¿Qué es lo que ve? ¿Están ambas partes de su cuerpo equilibradas? ¿Tiene un hombro o una cadera más alto que el otro? ¿Tiene la parte superior de la espalda curvada hacia afuera con los hombros cargados y la cabeza y el cuello que sobresalen? El actual estilo de vida sedentario, que nos obliga a muchos a pasar todo el día sentados ante nuestro escritorio, generalmente encorvados ante el ordenador, aporta mucha presión sobre la parte superior de la columna vertebral y provoca dolores de espalda, de cuello y de cabeza. ¿Tiene los hombros echados hacia delante o tensos y levantados? A la inversa, adoptar una postura militar, con la columna derecha y los hombros echados hacia atrás, provocará tensiones en la espalda y, posteriormente, dolor de espalda.

¿Cómo están sus brazos? Deberían caer con las palmas de las manos hacia la parte exterior de los muslos. Si las palmas miran hacia atrás significa que sus músculos pectorales están tensos y le hacen encoger los brazos. ¿Tiene una curva pronunciada en la parte inferior de la espalda, haciendo que sobresalgan su abdomen y su trasero?

A continuación examine sus piernas. ¿Están rectas? ¿Están tan rectas que las rodillas le quedan juntas? ¿Están arqueadas la una hacia la otra? ¿Le apuntan los pies hacia adentro? (Observe algunos de los zapatos que utiliza regularmente: ¿están más gastados de un lado que del otro? En ese caso, es posible que «meta» los pies al andar.)

Ahora coloque una silla frente al espejo y siéntese tal como lo hace normalmente. Observe la forma en que está sentado. Vea la disposición y la forma de su cuerpo. ¿Está firme y tonificado, se le marcan bien los músculos?

Ahora considere otros factores, como el tono de su piel. ¿Tiene un brillo saludable y un buen cutis? ¿Sus ojos son claros y brillantes? ¿Le reluce la dentadura? ¿Tiene el pelo brillante y las uñas fuertes? Ahora dedique un par de minutos a pensar en usted. ¿Está contento consigo mismo y con su estilo de vida? ¿Qué imagen ofrece al mundo?

Puede que no esté satisfecho con lo que ve, pero jamás debe sentirse desanimado porque puede mejorar y cambiar su figura, a veces de forma radical, tan sólo adoptando una postura adecuada. Si practica la técnica de la postura Pilates que describo más adelante, aunque sólo sea durante unos minutos tres veces al día, estará poniendo su cuerpo en la posición correcta para lograr una salud óptima. También se volverá más flexible, su respiración será más profunda, estimulará la circulación sanguínea, mejorará la digestión y, por lo tanto, dispondrá de más energía. Su cuerpo se volverá más sólido y adelgazará un poco al instante.

Estoy convencida de que la postura Pilates es la más beneficiosa para el cuerpo. Si practica la postura antes de comenzar cada sesión de ejercicios notará cómo obtiene resultados incluso antes de lo previsto, ya que cuando el cuerpo está bien alineado, los ejercicios y estiramientos resultan aún más efectivos y correctivos.

Además, una buena postura le proporcionará una buena presencia física. Imagínese entrando cabizbajo en una sala llena de gente: su llegada apenas será percibida. Ahora imagínese adoptando la postura Pilates y entrando en una sala llena. ¡Menuda diferencia! Transmitirá una confianza y una energía que no pasarán desapercibidas.

LA POSTURA PILATES

1. Colóquese de pie con los pies paralelos, ligeramente separados, con las plantas de los pies planas en el suelo. Relaje las rodillas para que no estén ni tensas ni dobladas, sino simplemente relajadas.

2. Alinee su centro de energía, o sus músculos esenciales, alzando los huesos de las caderas muy ligeramente hacia las costillas y escondiendo el ombligo, de modo que quede más cerca de la columna.

3. Inspire profundamente por la nariz, haciendo que el aire llegue hasta los pulmones. Entonces espire e inspire; eso hará que las costillas se dirijan hacia las caderas y que su espalda se enderece. Levante ligeramente la parte superior del tronco.

4. Relaje los hombros. Intente juntar los omóplatos y luego déjelos caer ligeramente, espirando lentamente para relajarse mejor.

5. Observe su perfil e imagine que hay una línea recta que sale de su oreja y cruza por el centro del cuello, el antebrazo, el muslo y la rodilla hasta llegar al hueso del tobillo.

6. Coloque el antebrazo con el codo ligeramente doblado, el pulgar hacia dentro y la mano apoyada en el muslo.

7. Asegúrese de que apoya el peso en la parte trasera de la planta del pie, con las caderas situadas en la vertical de los talones.

8. Perciba la sensación de ligereza y equilibrio: su peso está uniformemente repartido por los músculos del cuerpo, ha prolongado la columna y le ha quitado presión.

! *No se desanime si al principio esta postura le resulta algo incómoda: los músculos de la espalda no tardarán en acostumbrarse a ella. Si siente tentaciones de abandonar, piense solamente que encorvarse o hundirse cuando uno está cansado sólo le hará sentirse peor.*

! *Para lograr una posición correcta frente al ordenador, eche el mentón hacia atrás mientras mantiene la vista fija al frente. Ahora imagine que lleva cuerdas atadas a la punta de las orejas y que alguien tira de ellas hacia arriba. Eso hará que la nuca se estire y que la barbilla adopte un ángulo de 90º respecto al cuerpo.*

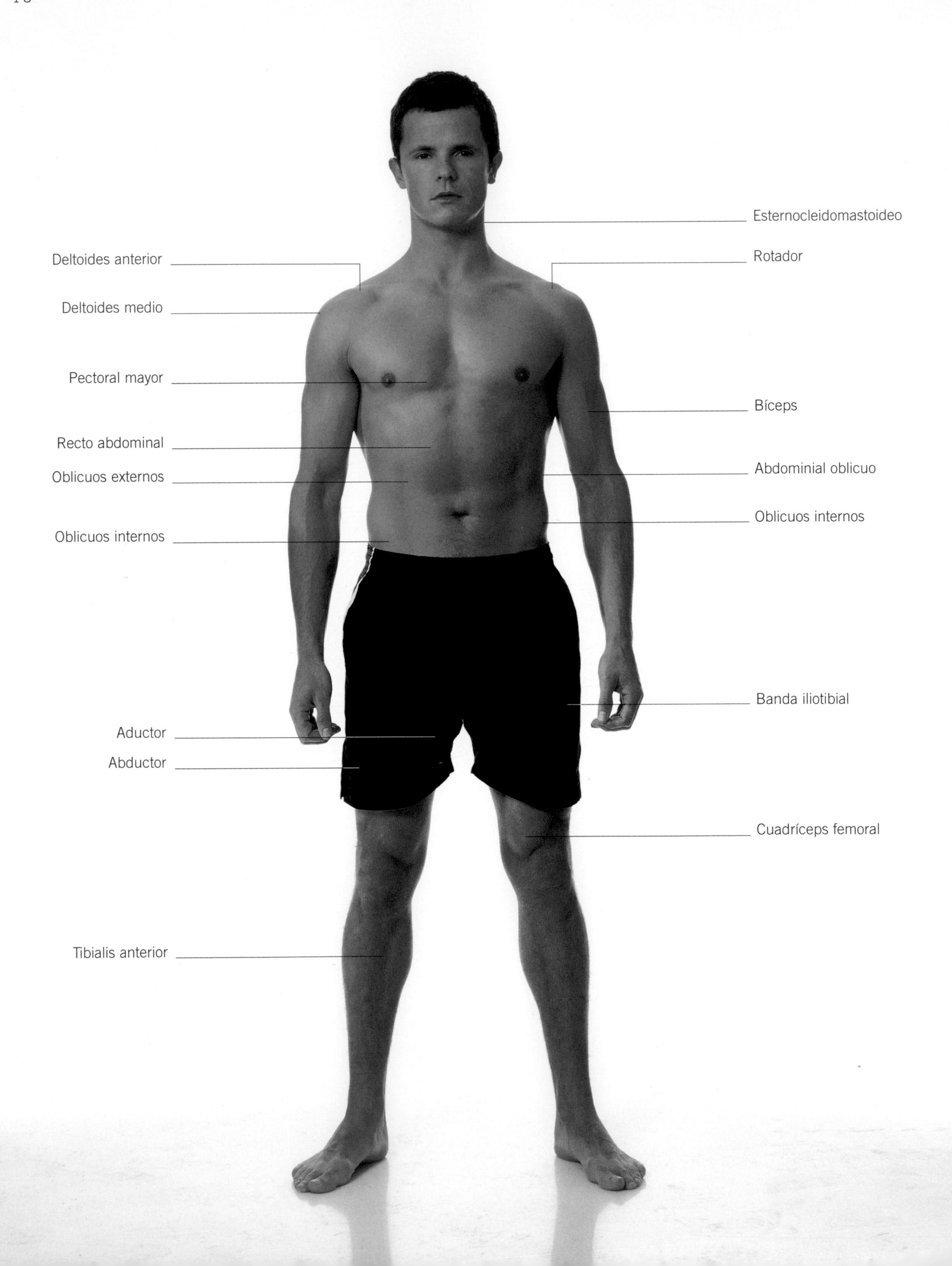

Esternocleidomastoideo
Deltoides anterior
Rotador
Deltoides medio
Pectoral mayor
Bíceps
Recto abdominal
Abdominial oblicuo
Oblicuos externos
Oblicuos internos
Oblicuos internos
Banda iliotibial
Aductor
Abductor
Cuadríceps femoral
Tibialis anterior

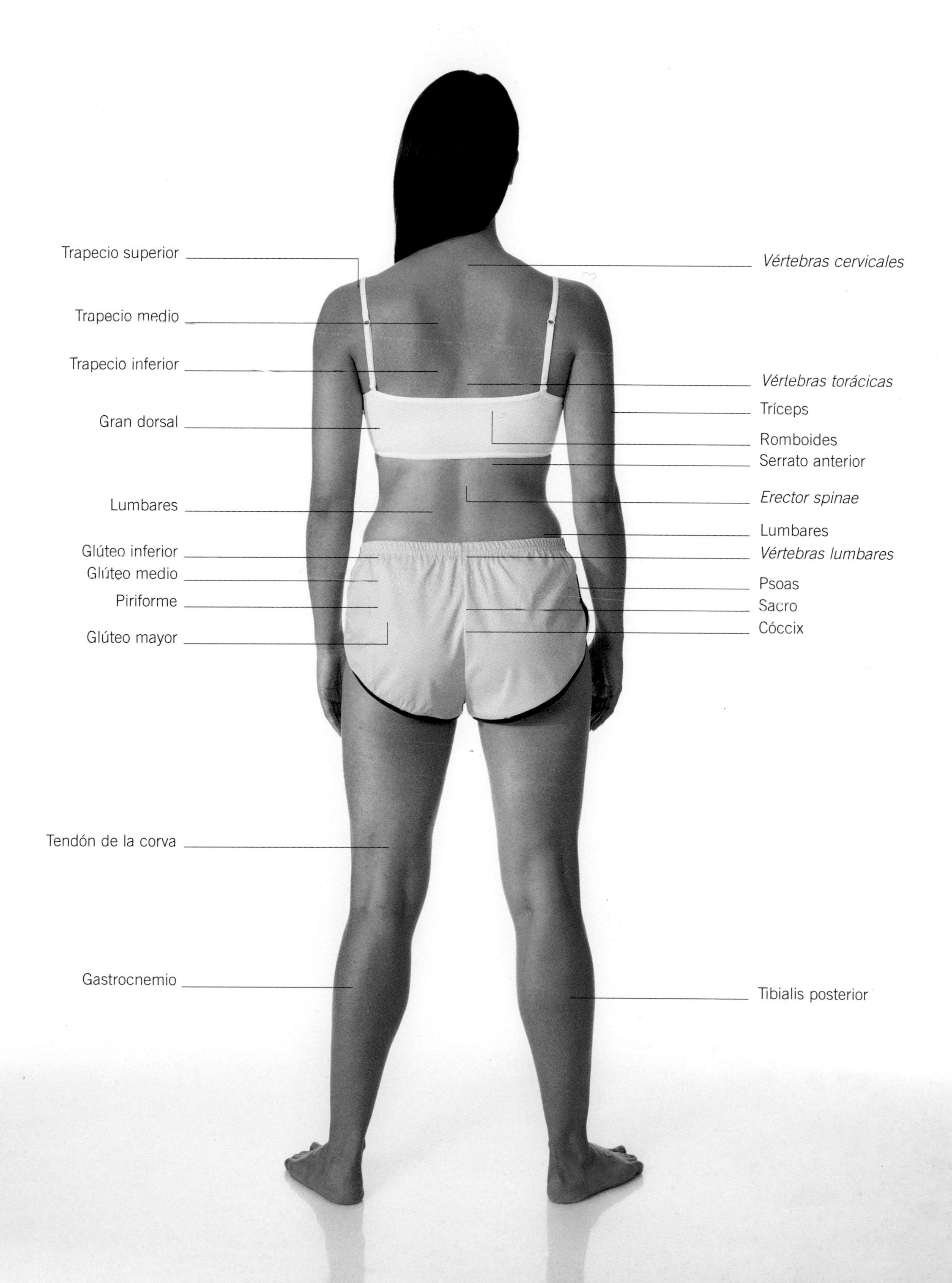
Trapecio superior
Trapecio medio
Trapecio inferior
Gran dorsal
Lumbares
Glúteo inferior
Glúteo medio
Piriforme
Glúteo mayor
Tendón de la corva
Gastrocnemio
Vértebras cervicales
Vértebras torácicas
Tríceps
Romboides
Serrato anterior
Erector spinae
Lumbares
Vértebras lumbares
Psoas
Sacro
Cóccix
Tibialis posterior

LA RESPIRACIÓN PILATES

La respiración correcta es uno de los aspectos más importantes de la técnica Pilates. ¿Por qué? En primer lugar, porque sus músculos y tejidos necesitan oxígeno para funcionar de forma eficiente. Dirigir más oxígeno al cerebro hace que mejoren la concentración y la coordinación y, si se fija en la respiración podrá centrarse más, proporcionando una dimensión cuerpo-mente completamente nueva a sus ejercicios. Además, una respiración correcta no sólo mejorará su postura: también le ayudará a mantener la piel y los ojos limpios y le proporcionará un brillo general de salud.

Aunque respiramos de forma automática, a menudo no lo hacemos de forma eficiente. La mayoría utilizamos una parte diminuta de nuestras capacidades respiratorias, y a menudo contenemos la respiración mucho más de lo apropiado, por ejemplo cuando estamos concentrados haciendo ejercicios.

En la técnica Pilates, practicamos la respiración *torácica*: introducir aire en lo más profundo de la caja torácica, de modo que las costillas se expandan hacia los lados. Llenamos de aire el tórax y no el abdomen, porque, como veremos más adelante, en todos los ejercicios Pilates se contraen los músculos abdominales. Cuando comience con los ejercicios Pilates, quizá la respiración torácica le resulte complicada. Si es así, no se preocupe: con un poco de perseverancia dominará la respiración torácica correcta de forma natural. Asimismo, no se alarme si siente mareos o vértigo. Eso tan sólo significa que está respirando de forma eficiente y que su cerebro recibe más oxígeno de lo habitual.

Intente practicar el ejercicio de respiración de la página siguiente.

RESPIRACIÓN PILATES

Antes de comenzar con los ejercicios Pilates del libro debe aprender a respirar según el método Pilates. Puede practicar esta técnica a cualquier hora del día, pero quizá le resulte particularmente útil al despertar por la mañana (para gozar de mayor energía) y por la noche antes de acostarse (como método de relajación).

1. Túmbese boca arriba con las rodillas dobladas, ligeramente separadas, y apoyando la planta de los pies en el suelo. Mantenga la cabeza alineada con la columna y ligeramente separada del suelo. Coloque la palma de las manos sobre la caja torácica, con la punta de los dedos de ambas manos en ligero contacto.

2. Inspire profundamente por la nariz. Note cómo el músculo del diafragma baja y la caja torácica se abre y se expande, permitiéndole llenar los pulmones de aire. Fíjese en que sus dedos ya no se tocan. Note cómo la caja torácica crece y se expande bajo sus manos.

3. Espire por la boca hasta que haya expulsado todo el aire y la caja torácica se haya contraído, de modo que vuelva a tener la punta de los dedos en contacto. Repita la secuencia ocho veces.

4. A continuación póngase de pie, con las piernas bien rectas, y repita el ejercicio de respiración otras ocho veces.

ENCONTRAR EL EQUILIBRIO

La técnica Pilates mejora su equilibrio. Para comprobarlo, realice los siguientes ejercicios para ver qué nivel de equilibrio tiene ahora. Pruébelo de nuevo tras haber practicado la técnica Pilates durante, pongamos, un mes, y observe lo mucho que ha mejorado.

LA CUERDA FLOJA

1. Adopte una posición erguida y coloque el pie derecho justo delante del izquierdo, con el talón del pie de delante tocando apenas los dedos del de atrás. Distribuya su peso uniformemente entre ambos pies, fije la vista en un punto situado justo enfrente de usted y levante los brazos en cruz hasta la altura de los hombros. Entonces, relaje los hombros. Respire normalmente y mantenga esta posición durante unos veinte segundos.

2. Repita el paso 1. Luego cierre los ojos y mantenga la posición entre 10 y 20 segundos.

3. Repita de nuevo el paso 1. Gire la cabeza ligeramente a la derecha, concéntrese y mantenga la posición unos 10 segundos. A continuación gire la cabeza ligeramente hacia la izquierda, concéntrese y mantenga la posición durante 10 segundos más. Finalmente, repita el paso 1 y el paso 3, de nuevo con los ojos cerrados.

4. Realice los pasos 1 a 3 situando el pie izquierdo delante del derecho.

LA CIGÜEÑA

1. Colóquese de pie, con las piernas ligeramente abiertas, la espalda recta, el cuello estirado y los ojos fijos en un punto situado justo enfrente de usted. Levante los brazos por encima de la cabeza, con las palmas encaradas la una frente a la otra. Mantenga los hombros relajados y los codos doblados.

2. Levante la rodilla izquierda, gírela hacia el lado y apoye la planta del pie izquierdo en la parte interior del muslo derecho. Respire normalmente y mantenga la posición al menos 30 segundos; puede mantenerla hasta los 2 minutos si le resulta cómodo.

3. Cambie de pierna y repita la postura. Con la práctica, cada vez será capaz de apoyar la pierna doblada más arriba en la pierna de apoyo.

❗ *Intente realizar este ejercicio al iniciar la sesión de Pilates. Eso le ayudará a concentrarse y le hará sentirse presente en el momento. Mientras realice el ejercicio puede también sentirse más en contacto directo con el suelo visualizando una energía que fluye por todo su cuerpo, sale por sus pies y penetra en el suelo.*

EL FONDO PÉLVICO

Los ejercicios de fondo pélvico constituyen la base de toda mi técnica de ejercicios Pilates. Ser capaz de controlar y levantar el fondo pélvico constituye el 50% de la *estabilidad central*, es decir, la estabilidad que logramos gracias a un torso fuerte y equilibrado (al que nos dedicaremos más a fondo en las páginas 26-27).

El área que llamamos fondo pélvico está formada por los músculos y tejidos que configuran la base de la pelvis. El músculo principal (el *pubococcyggeas*, o pcg), que tiene una forma parecida a una hamaca, funciona como un cabestrillo que sostiene la vejiga y los intestinos y, en las mujeres, también el útero. Nunca es demasiado tarde (ni demasiado pronto) para comenzar a entrenar el fondo pélvico. Márquese como objetivo ejercitarlo 50 veces al día. Puede sonar desalentador, pero como verá no es complicado, ya que los ejercicios de fondo pélvico se pueden realizar en todas partes: en el autobús, en el coche e incluso sentado delante del escritorio.

LA POSICIÓN DEL GANCHO

Ésta es una posición de prueba para comprobar que tiene una columna neutra, *el punto de partida a partir del cual desarrollará un* centro *fuerte.*

1. Túmbese boca arriba, con los brazos a ambos lados. Estire el cuello, doble las rodillas con los pies planos en el suelo, ligeramente separados. Debe sentirse cómodo y relajado. Ésta es la posición del gancho.

2. En la parte baja de la columna debe formarse una curva natural. Ésta es la posición de la columna neutra. Compruébelo pasando la mano por debajo de la parte inferior de la espalda.

3. Ahora estire las piernas sobre el suelo; ya no está en posición de columna neutra. ¿Nota la diferencia?

FLEXIONES PÉLVICAS

Cuando sea capaz de identificar la posición de la columna neutra, puede comenzar a practicar las flexiones pélvicas en la posición del gancho. A continuación puede practicarlas sentado o de pie.

1. Túmbese en la posición del gancho. Las mujeres deben tratar de tensar y levantar lentamente los conductos trasero y frontal. Los hombres deben tratar de desplazar sus genitales hacia la parte superior del cuerpo. Mantenga esta posición mientras cuenta lentamente hasta cinco.

2. Relaje gradualmente los músculos: primero los músculos pélvicos frontales y posteriormente los traseros. Repita 5 flexiones, 10 veces al día. Una vez sea capaz de hacerlos en la posición del gancho, intente practicarlos, por ejemplo, sentado delante de su escritorio.

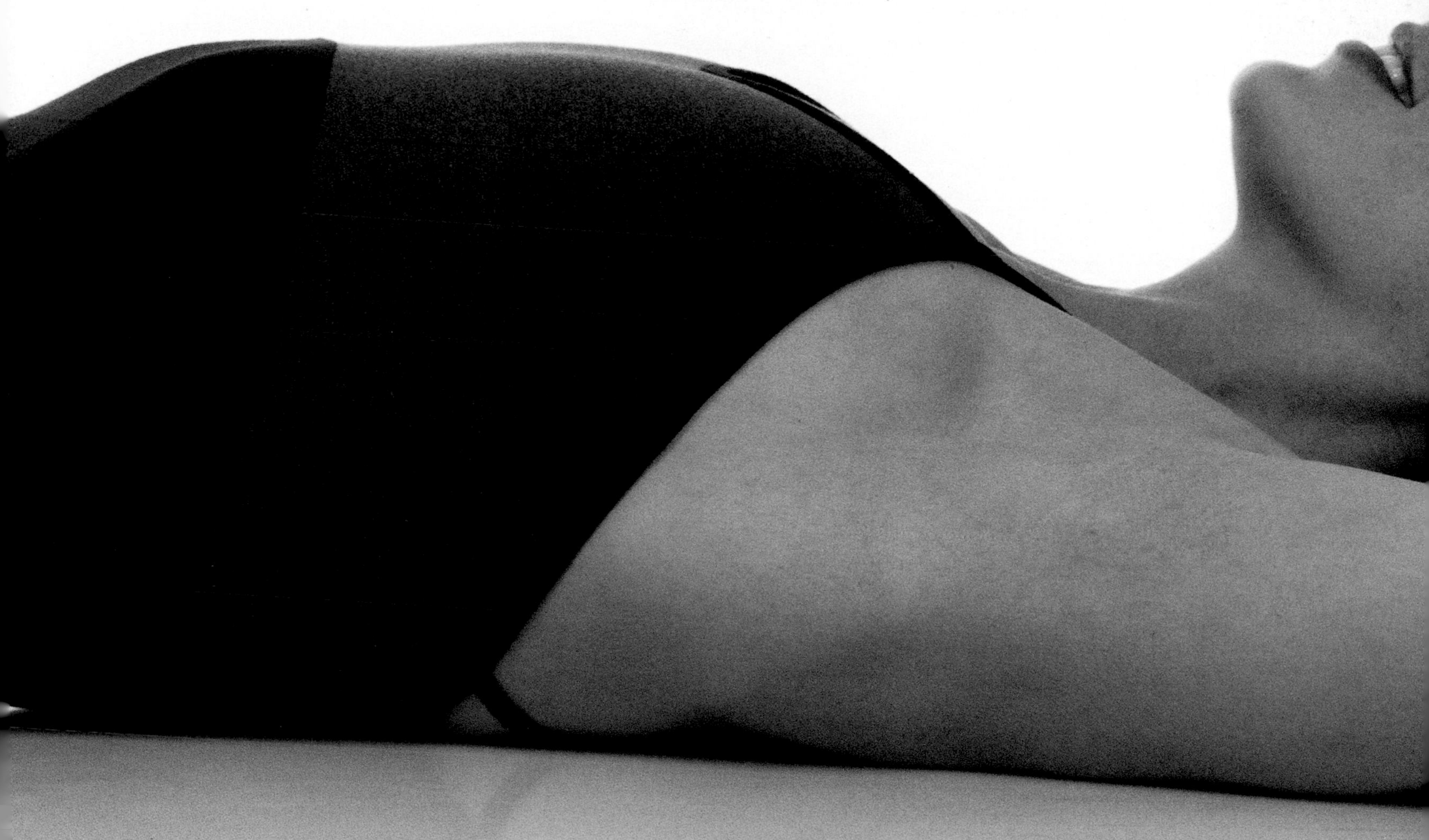

QUÉ ES LA ESTABILIDAD CENTRAL

La *estabilidad central* es la esencia de la técnica Pilates. Aunque el término puede resultar extraño, se refiere simplemente a fortificar su centro o núcleo. Ésa es la clave de un entrenamiento efectivo no sólo de los músculos abdominales, sino también del resto de músculos del cuerpo.

Para lograr la estabilidad central necesitará controlar tres aspectos esenciales: la respiración (ver páginas 20-21), los músculos del fondo pélvico (ver páginas 24-25) y los músculos abdominales profundos, como el abdominal oblicuo y los oblicuos internos (ver ilustraciones de las páginas 18-19), que desempeñan un papel vital en una postura correcta.

En concreto, los músculos abdominales profundos resultan cruciales para la técnica Pilates. Además de controlar la postura, son los principales estabilizadores de la espalda. Tal vez el músculo abdominal más importante de todos es el abdominal oblicuo, una vaina de músculo que recubre los órganos internos. Conviene no confundir los abdominales profundos con los abdominales superficiales, como el recto abdominal y los oblicuos externos, que controlan la rotación y la flexibilidad del torso. Los músculos superficiales no pueden asumir las funciones de los músculos profundos (porque no pueden controlar la postura), ni tampoco contraerse durante períodos de tiempo prolongados.

Si a lo largo de los años ha sucumbido al mal hábito de sentarse inclinado en la silla, es probable que sus músculos profundos hayan perdido su eficacia hasta el punto que mantener una postura erguida y correcta le resulte difícil y requiera de grandes esfuerzos. ¿Cómo se puede, pues, devolver la eficacia a esos músculos y recuperar una buena postura? La respuesta es simple: logrando la estabilidad central, que se obtiene aprendiendo a respirar correctamente, levantando los músculos del fondo pélvico y ahuecando los abdominales profundos como si los estuviera desplazando hacia la columna.

A continuación le guiaré paso a paso a través de una serie de ejercicios diseñados para ayudarle a lograr y practicar la estabilidad central (ver la página siguiente y la técnica de abotonar el ombligo de las páginas 28-29), para que así domine esta habilidad fundamental antes de pasar a mis ejercicios Pilates especialmente adaptados. Comience por el ejercicio de proyección activa que encontrará en la página siguiente.

VISUALIZAR EL CENTRO Y LOGRAR LA ESTABILIDAD

1. Intente imaginar la esencia de su cuerpo (el *centro*) como un cilindro vacío. La parte superior del cilindro es el diafragma, la inferior es el fondo pélvico y las paredes del cilindro son los músculos abdominales profundos.

2. Ahora respire hondo. Note cómo el diafragma baja y comprime la parte superior del cilindro.

3. Levante el fondo pélvico y, al hacerlo, imagine que la parte inferior del cilindro se vuelve más sólida. A continuación contraiga los abdominales de modo que las paredes del cilindro se junten.

4. El cilindro es ahora sólido y fuerte, y constituye un verdadero refuerzo para su columna. Con el centro estabilizado de esta manera, todos los movimientos y ejercicios que lleve a cabo con sus extremidades gozarán de más fuerza y control.

Ahora intente realizar el siguiente ejercicio, que le mostrará cómo alinear los músculos centrales.

PONER LAS LUCES LARGAS

1. Póngase de lado frente a un espejo de cuerpo entero, con los pies ligeramente separados. Coloque la punta de los dedos de las manos sobre los huesos de la cadera y los pulgares en la base de las costillas.

2. A continuación imagine que tiene luces instaladas en los huesos de las caderas y que conduce por una oscura carretera de montaña. Notará que sus luces enfocan a la carretera. Eso significa que no ve lo que tiene delante; incline ligeramente las luces hacia arriba, en dirección a las costillas, escondiendo el ombligo de tal forma que quede más cerca de la columna. ¡Ahora lleva las luces largas y ya puede ver!

3. Relájese y gírese para contemplarse en el espejo. Repita la acción. Note cómo, aun tratándose de un ligerísimo movimiento, corrige toda su postura corporal.

4. Note también que sus glúteos se han tensado ligeramente, lo que significa que ha levantado el fondo pélvico. ¡He aquí la estabilidad central! Intente acordarse siempre de poner las luces largas al estar de pie y al caminar.

❗ *Lograr la estabilidad central exige práctica y paciencia. Sin embargo, una vez haya aprendido la técnica y haya realizado el esfuerzo consciente de practicarla, notará cómo se acostumbra a mantener una buena posición y la adopta automáticamente.*

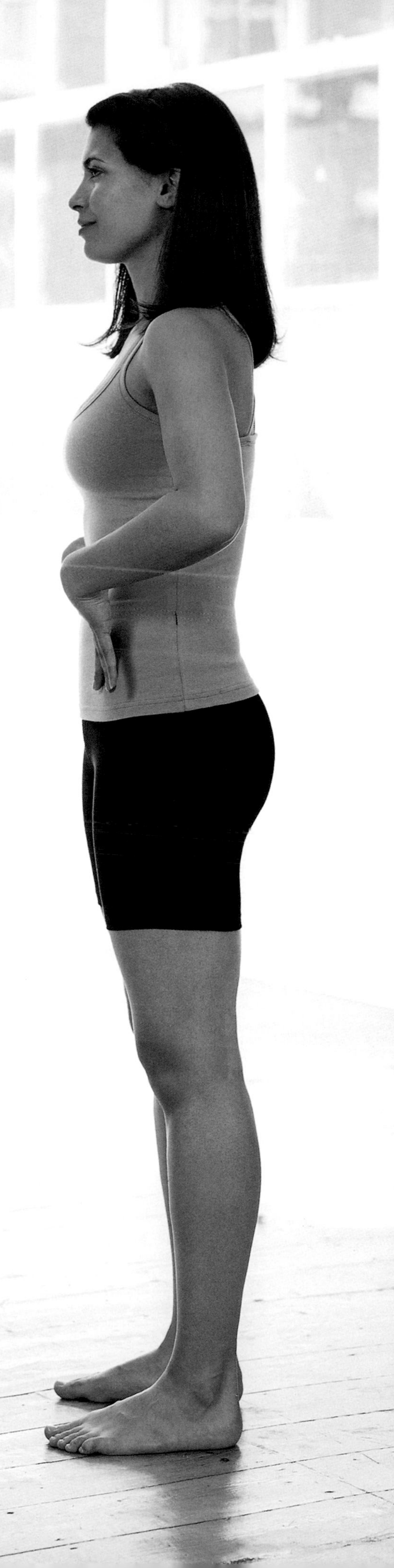

LOS ABDOMINALES PROFUNDOS

Este sencillo ejercicio aísla los oblicuos internos y el abdominal oblicuo, el músculo corsé por antonomasia, y constituye el 50 % de la estabilidad central. Puede practicar el ejercicio de abotonar el ombligo estando sentado, tumbado, arrodillado o de pie. Intente incorporar una elevación del fondo pélvico a cada ejercicio para llegar hasta el verdadero núcleo de fuerza. A medida que lleve a cabo los ejercicios, asegúrese de que adopta una posición de columna neutra (ver *El fondo pélvico*, páginas 24-25), de modo que su espalda no esté ni completamente recta, ni se forme una curva prolongada en la parte baja de la misma.

Antes de comenzar resulta muy útil localizar el abdominal oblicuo. Siéntese en una posición cómoda y coloque las manos sobre el abdomen, con los dedos abiertos y separados. Inspire hondo y presione suavemente la pared abdominal con las manos. Entonces diga: «¡HO, HO, HO!» en voz alta. Notará cómo la ceñida faja de músculos que forman el músculo interno de la pared abdominal se contrae bajo la punta de sus dedos.

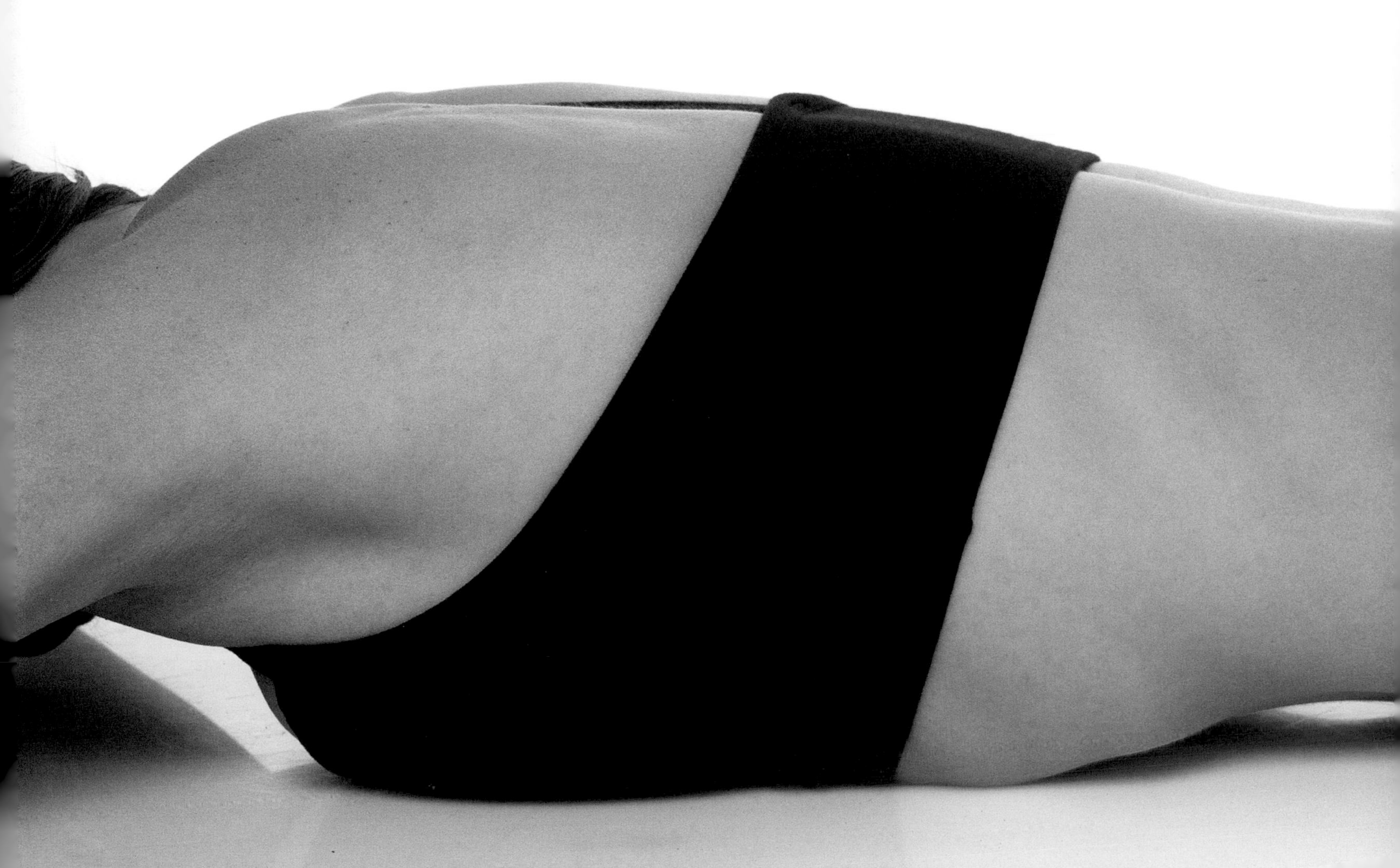

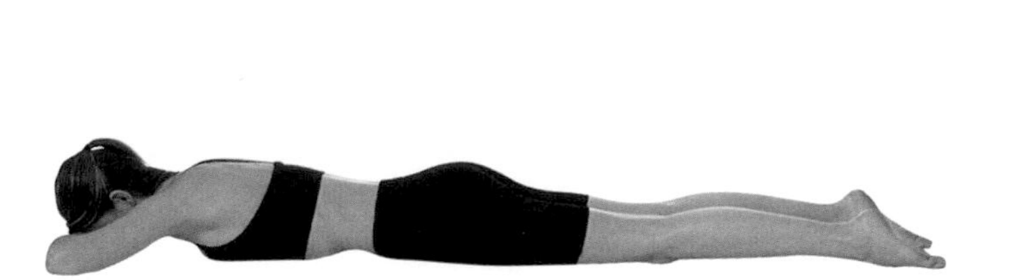

ABOTONAR EL OMBLIGO

1. Échese boca abajo en el suelo, con las manos a los lados del cuerpo y las piernas ligeramente abiertas. Relájese completamente. (Si lo desea, apoye la cabeza sobre una toalla doblada o una almohada pequeña.) Inspire hondo y concentre su atención en el ombligo.

2. Al espirar, levante el ombligo del suelo como si tratara de abotonarlo a la columna. Mantenga ese *hueco abdominal* durante unos 5 segundos, aunque con la práctica podrá acabar llegando a los 30. Relájese y repita el ejercicio. Es importante no tensar los hombros ni levantar las caderas, la columna o los pies; la única parte del cuerpo que debe mover es el ombligo.

Intente hacer el ejercicio de abotonar el ombligo a cuatro patas, con un cinturón justo por debajo del ombligo. Al abrocharse el cinturón, sus músculos deben estar relajados y el cinturón debe estar sólo lo bastante ceñido para tocar la piel. Asegúrese de que adopta la posición de la columna neutra (ver páginas 24-25). Al abotonar, los músculos se separarán del cinturón y al relajarlos volverán a entrar en contacto con éste.

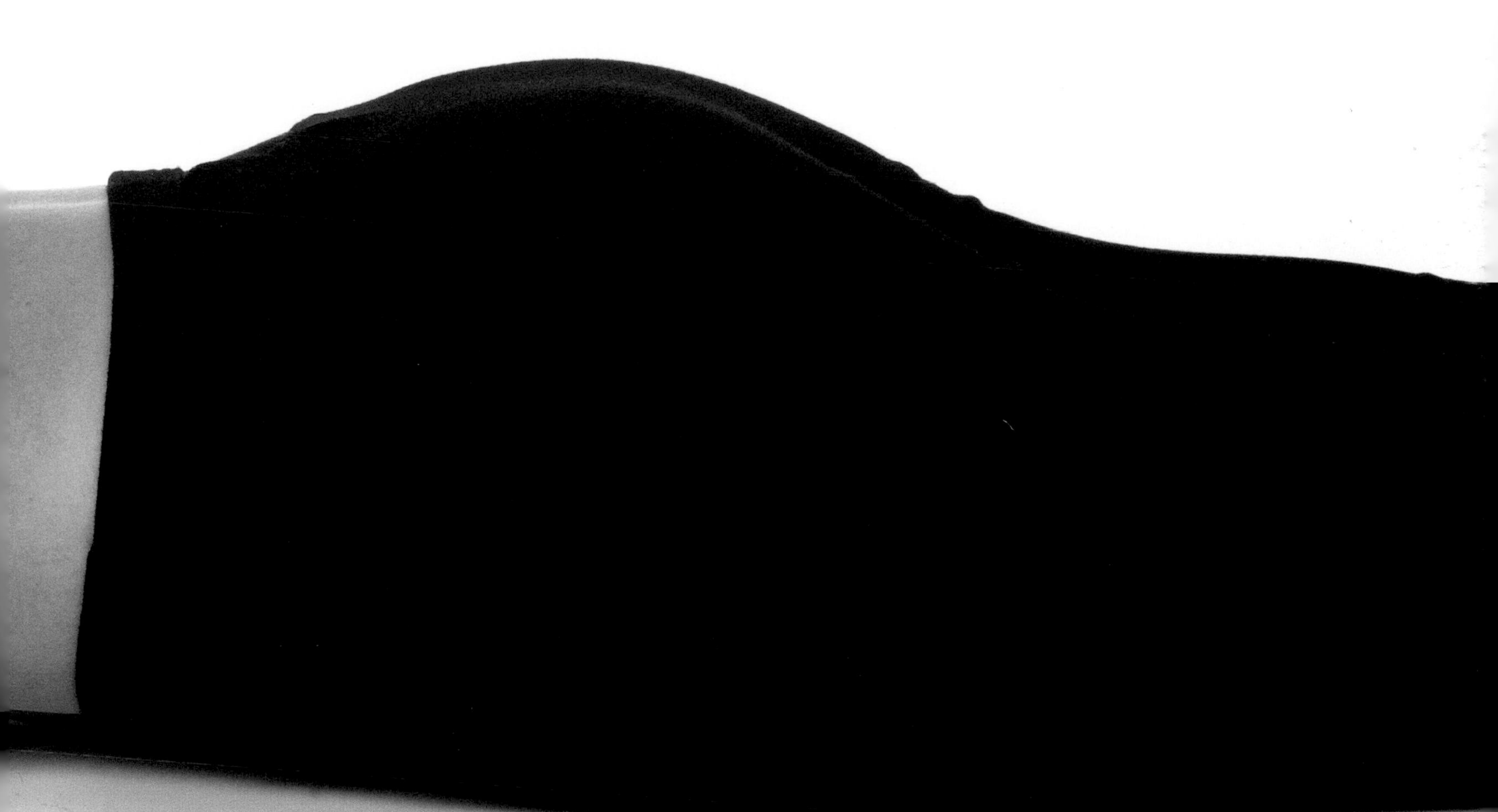

PILATES MÁS EJERCICIO

He dado a mis ejercicios de Pilates el nombre de *Pilates Plus* porque están especialmente adaptados para transformar el aspecto, la forma de sentir y el rendimiento de su cuerpo de forma simple y efectiva. En los principios básicos hemos expuesto los elementos clave para comenzar a practicar la técnica Pilates sin riesgos. En este capítulo, los ejercicios *Abdominales tonificados* y *Una espalda fuerte* potenciarán la fuerza de los músculos centrales. Los ejercicios *Extremidades flexibles* mejorarán la flexibilidad y estimularán unos movimientos más naturales y elegantes.

CALENTAMIENTO

En la técnica Pilates, como en cualquier tipo de ejercicio, es importante calentar antes de comenzar cada sesión. Realizar ejercicios de calentamiento hace que aumente la temperatura corporal y que la sangre fluya hacia los músculos. El metabolismo (el ritmo al que se libera energía del cuerpo) se acelera y aumenta la velocidad a la que viajan los impulsos nerviosos. Todo eso facilita un movimiento más eficiente del cuerpo durante el ejercicio. El calentamiento libera también tensión muscular, aumenta la flexibilidad de los tejidos conectivos del cuerpo y ayuda a concentrarse en los ejercicios.

Antes de comenzar, asegúrese de que dispone de espacio suficiente en la zona de ejercicios para echarse en el suelo y estirar las extremidades en todas las direcciones. En la parte inferior de esta página y en la página siguiente encontrará una práctica de calentamiento que me gustaría que siguiera antes de comenzar con los ejercicios Pilates. Empiece todos los ejercicios de calentamiento adoptando lo que yo llamo la posición de *facturación*. Sitúese frente al espejo, con los pies ligeramente separados, y revise mentalmente su postura tal como se indica en las páginas 16 y 17. Asegúrese de levantar la cabeza ligeramente hacia el techo, con la barbilla formando un ángulo de 90º respecto al cuerpo, y de que los pies apuntan hacia adelante.

1. LEVANTAR LOS TALONES

Despierte todas las terminaciones nerviosas de la planta de los pies levantando el talón y presionando con el pulpejo en el suelo. Es importante que el pie apunte hacia adelante. Levante 3 veces los talones del pie derecho, luego 3 los del izquierdo y repita toda la secuencia.

2. ROTACIÓN DE RODILLAS

Caliente la articulación de la cadera realizando círculos con las rodillas. Levante el talón derecho del suelo y, sin mover los dedos, haga 3 círculos con la rodilla derecha. Intente no mover la pelvis. Repita el movimiento 3 veces con la rodilla izquierda.

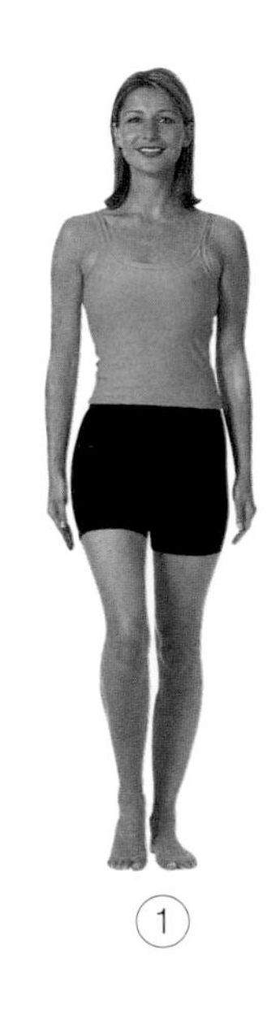

1

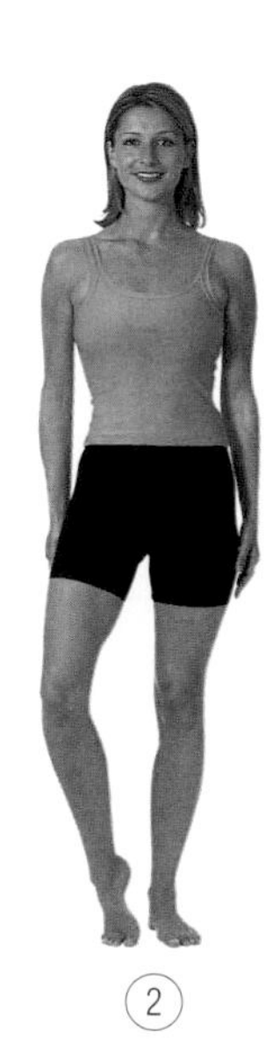

2

3. ESTIRAMIENTOS COMPLETOS DE ESPALDA

Levante ambos brazos por encima de la cabeza, una los dedos de ambas manos y colóquelas tras la nuca. Doble las rodillas, apoye todo su peso sobre los dedos de los pies, esconda la rabadilla e inspire. A continuación espire mientras arquea lentamente todo su cuerpo, de vértebra en vértebra. Esconda la barbilla y mantenga la posición unos 20 segundos. A continuación devuelva lentamente su cuerpo a una posición recta. Repita toda la secuencia una vez más.

4. CÍRCULOS CON LOS BRAZOS

Levante ambos brazos por encima de la cabeza, con la palma de las manos mirando hacia dentro, e inspire. A continuación gire las palmas hacia fuera y espire. Baje los brazos en dirección a las caderas, hasta que las palmas estén una frente a la otra. Repita la secuencia 2 veces y luego realice toda la secuencia 3 veces en orden inverso: comience bajando las manos hacia las caderas, con las palmas opuestas, termine el movimiento levantando los brazos por encima de la cabeza, con las palmas hacia dentro.

5. CÍRCULOS CON LOS HOMBROS

Con los pies ligeramente separados y los brazos extendidos delante de usted con las palmas mirando hacia abajo, inspire. Baje el brazo derecho hacia el muslo derecho sin mover la pelvis. Espire y trace un círculo con el brazo derecho por detrás del cuerpo, pasándolo por encima de la cabeza, moviéndola de tal forma que siga el gesto del brazo. Repita la secuencia 3 veces en cada lado.

6. ESTIRAMIENTOS LATERALES

Inspire, mientras estira hacia arriba la parte superior del cuerpo desde el torso, con la rabadilla apuntando al suelo. Asegúrese de estar estirando el cuello. A continuación espire mientras se inclina lentamente hacia la derecha, con los brazos a los lados. Repita la flexión 3 veces en cada lado. Luego repita la secuencia completa, pero esta vez estirando el brazo por encima de la cabeza, siguiendo la línea de su cuerpo. Al inclinarse a la derecha, estire el brazo izquierdo por encima de la cabeza y viceversa.

(3) (4) (5) (6)

LOS ABDOMINALES SON UNOS DE LOS MÚSCULOS MÁS CONOCIDOS DEL CUERPO Y MUCHAS PERSONAS CREAN PROGRAMAS DE EJERCICIOS PARA DESARROLLARLOS. SI LLEVA A CABO MIS EJERCICIOS ABDOMINALES CON LA ESTABILIDAD CENTRAL CORRECTA (VER PÁGINAS 26-27), LOGRARÁ UN ABDOMEN PLANO Y TONIFICADO, Y UNA ESTRUCTURA DE APOYO MÁS FUERTE PARA LA ESPALDA. TANTO SI DESEA ESTILIZAR SU TALLE COMO SI BUSCA MEJORAR SU POSTURA, ESTOS EJERCICIOS SON TODO LO QUE NECESITA PARA EMPEZAR.

ABDOMINALES TONIFICADOS

CALENTAR LOS ABDOMINALES

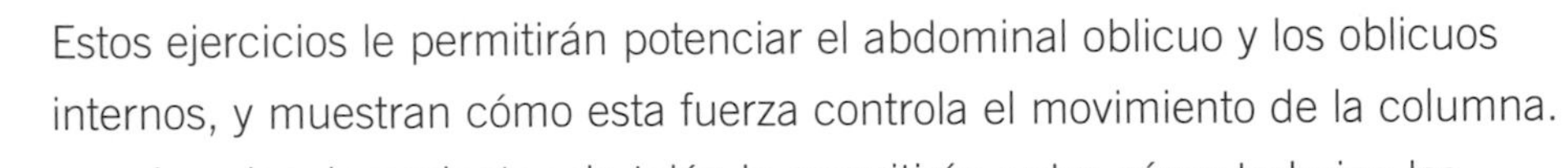

Estos ejercicios le permitirán potenciar el abdominal oblicuo y los oblicuos internos, y muestran cómo esta fuerza controla el movimiento de la columna. Los desplazamientos de talón le permitirán notar cómo trabajan los músculos abdominales, mientras que con los arqueamientos pélvicos aprenderá a utilizar los abdominales en el orden correcto, lo que tiene el efecto de utilizar la columna de la forma para la que fue creada: moviendo cada vértebra por separado, con un control perfecto.

DESPLAZAMIENTOS DE TALÓN

1. Túmbese en la *Posición del gancho* (ver página 25) y coloque las manos a ambos lados del ombligo, con la punta de los dedos separadas unos 15 cm. Respire y estabilice su centro levantando el fondo pélvico y contrayendo los abdominales. Mantenga los músculos de los abdominales tensos y los hombros relajados.

2. A continuación espire y estire la pierna izquierda arrastrando el talón por el suelo. Si nota que inclina la pelvis o que la zona lumbar pierde la posición de la columna neutra, devuelva lentamente la pierna a la posición inicial e inténtelo de nuevo. Repita este movimiento 8 veces con cada pierna.

ARQUEAMIENTOS PÉLVICOS

1. Siéntese con las rodillas dobladas y ligeramente separadas, y la planta de los pies plana en el suelo. Coloque las manos tras las rodillas, con los codos levantados formando un ángulo de 90º con el cuerpo. (Esto mantiene los pectorales abiertos y fomenta la respiración torácica.) Relaje los hombros, permanezca con los omóplatos bajos y el cuello estirado. Inspire profundamente y estabilice su centro (levante el fondo pélvico y abotone el ombligo).

2. Mientras comienza a espirar, baje la barbilla. Comience a arquearse, flexionando la columna y manteniendo la estabilidad central. Encórvese hasta donde pueda hacerlo sin perder el control y sin soltar las piernas. Entonces levántese lentamente y recupere la posición inicial, sin dejar de respirar y de relajarse con la estabilidad central. Asegúrese de que su cuerpo regresa a la posición inicial, con los hombros levantados, listo para el siguiente arqueamiento pélvico. Repita 5 veces.

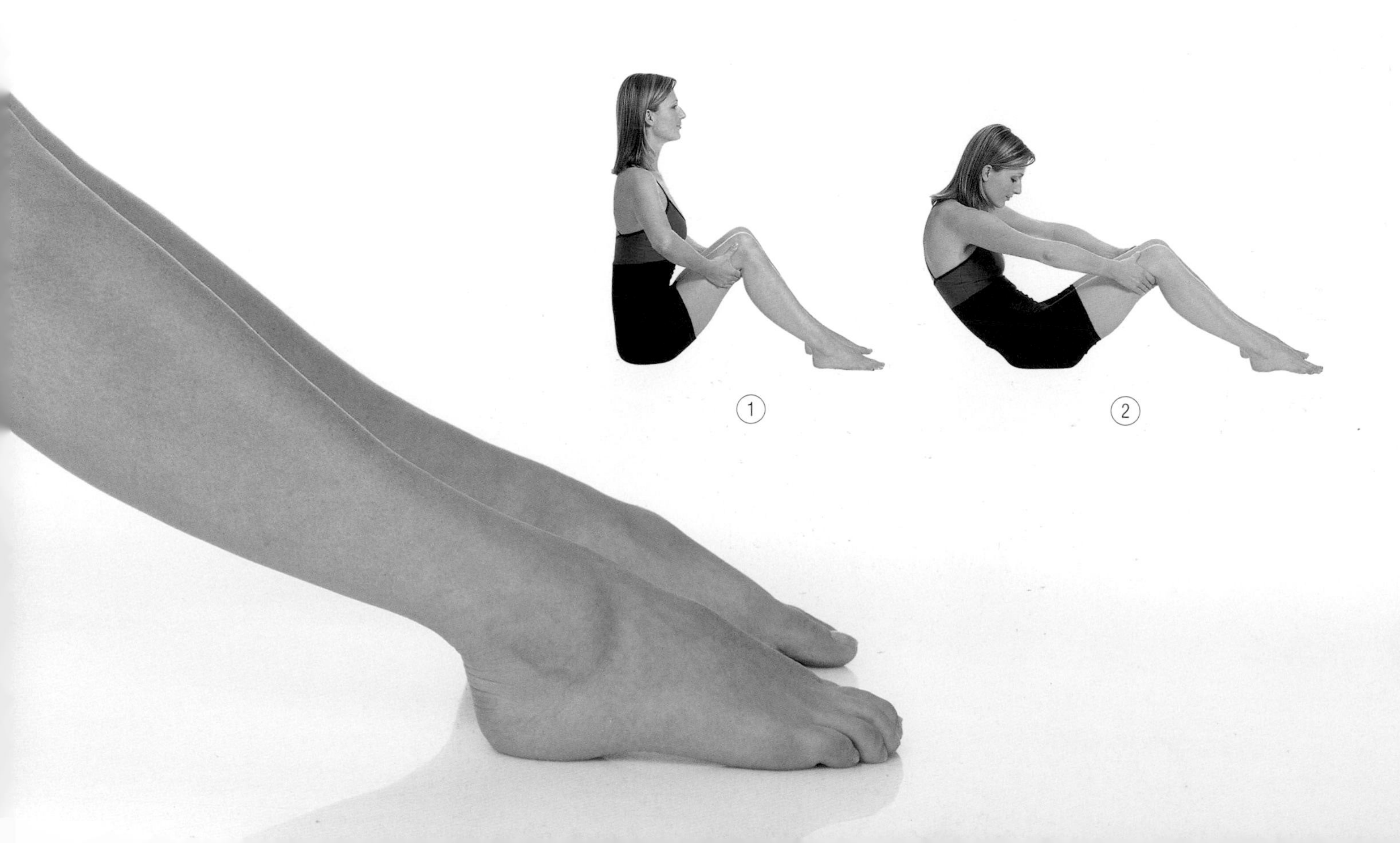

ABDOMINALES DE ALTA INTENSIDAD

Como ya hemos visto, hay dos tipos distintos de músculos en el abdomen. Los músculos abdominales superficiales –como el recto abdominal– y los oblicuos externos controlan nuestra capacidad de girar y de doblar el torso; los segundos son los músculos abdominales internos, el abdominal oblicuo y los oblicuos internos, que desempeñan un papel vital a la hora de mantener una postura correcta.

Gracias a las siguientes abdominales de alta intensidad fortalecerá sus músculos abdominales y hará que disminuya la tensión en la zona lumbar de la columna vertebral, a la vez que reducirá y fortalecerá el recto abdominal.

1

2

1. Tiéndase en la *Posición del gancho* (ver página 25) con las manos detrás de la cabeza, los codos separados y aguantándose la cabeza con la punta de los dedos. (Si al levantarse alcanza a verse los hombros, lo más probable es que esté ayudándose de las manos. Para corregir esta postura, eche los codos hacia atrás y utilice los abdominales para levantarse.) Inspire, estabilice su centro, y alise y comprima sus músculos abdominales. Espire y doble lentamente la parte superior del cuerpo levantándola del suelo, arqueando la columna y sacando la barbilla, hasta que sólo la zona lumbar de la columna esté en contacto con el suelo.

2. Baje de nuevo lentamente hasta que la parte alta del tronco esté a poca distancia del suelo. Inspire. Repita el ejercicio sólo hasta que deje de resultarle cómodo. Para las primeras repeticiones es aconsejable colocar la palma de una de las manos sobre los abdominales inferiores para cerciorarse de que no estamos sacando los músculos con el esfuerzo de levantar la parte superior del tronco.

Si los abdominales anteriormente descritos le resultan difíciles, intente esta versión simplificada: tiéndase en la Posición del gancho *apoyando la planta de los pies en una pared. Inspire y estabilice su centro. Espire y doble la parte superior del tronco hasta separarla del suelo, arqueando la columna, con la barbilla pegada al pecho. Recupere lentamente la posición inicial hasta que la cabeza repose de nuevo en el suelo. Inspire y relájese durante unos segundos. Repita el ejercicio 8 veces. A medida que progrese, puede ir aumentando el número de repeticiones. Si nota que tensa los músculos de la espalda y no los abdominales, detenga el ejercicio y siga practicando el abotonar el ombligo (ver página 29) hasta que se sienta con ánimo para intentarlo de nuevo.*

Si, por el contrario, estos ejercicios comienzan a parecerle excesivamente sencillos, puede aumentar el nivel de dificultad con más repeticiones. También puede intentar mantener cada abdominal en la posición más elevada durante unos segundos antes de bajar y repetir.

Al hacer abdominales, intente no tener los pies fijos en el suelo. Fijar los pies sólo obliga a los músculos flexores de la cadera a hacer un sobreesfuerzo sin que eso signifique un incremento del trabajo realizado por los músculos abdominales. De hecho, si fija los pies no podrá saber cuándo está utilizando los abdominales.

ABDOMINALES TOTALES

El ejercicio llamado *Tirar de la cuerda* fortalece el abdominal oblicuo y los oblicuos internos, además de enseñarle a utilizar esa fuerza para mover la columna. Los *Grandes abdominales* trabajan los músculos del gran dorsal, en la espalda, al igual que los músculos abdominales en general; para este ejercicio necesitará una cinta elástica.

TIRAR DE LA CUERDA

1. Siéntese con las rodillas dobladas y los pies planos en el suelo. Imagine que está aguantando (con una mano delante de la otra) una cuerda que cuelga desde el techo.

2. Estabilice su centro, arquee la espalda y cuente hasta cuatro; mientras hace eso, imagine que está tirando de la cuerda, con una mano encima de la otra. Inspire mientras sigue tirando de la cuerda hasta haber contado hasta 4 y regrese a la posición de columna neutra.

◆ *Si la práctica de este ejercicio le resulta demasiado sencilla, inténtelo partiendo de la posición inicial del* Arqueamiento pélvico *(ver página 37). Sin abandonar esa posición, mantenga la estabilidad central, tire de la cuerda imaginaria con ambas manos y cuente hasta 8, incrementando la cuenta gradualmente hasta llegar a 40. No olvide respirar de forma regular durante todos los pasos.*

ABDOMINALES AL MÁXIMO

1. Siéntese derecho en el suelo, con las piernas estiradas frente a usted y los pies ligeramente separados. Sostenga la cinta elástica encima de su cabeza, con las palmas mirando hacia arriba. Inspire hondo y estabilícese levantando el fondo pélvico y sin dejar de abotonar el ombligo.

2. Comience a doblarse a la vez que espira, bajando la cinta elástica desde encima de la cabeza hasta tenerla encima de los muslos. Mientras se dobla tanto como pueda sin perder el control, arquee la columna y deje caer la barbilla sobre el pecho, sin perder la estabilidad central en ningún momento. Mantenga la posición e inspire mientras sigue controlando la estabilidad central. Espire y levante de nuevo los brazos por encima de la cabeza, con los hombros relajados. Enderécese lentamente hasta recuperar de nuevo la posición inicial. Repita la secuencia 8 veces.

LA MARIPOSA

Este ejercicio fortalece todos los músculos abdominales. Tiene, además, la ventaja añadida de estirar y tonificar los tendones de las corvas, desarrollar los pectorales y los hombros, y tonificar los músculos de los brazos. *La mariposa* es particularmente beneficiosa si pasa mucho tiempo sentado, ya que le ayudará a mejorar la postura.

En mis clases de Pilates es fantástico contemplar este hermoso y elegante ejercicio.

1. Tiéndase en la *Posición del gancho* con los brazos extendidos, formando un ángulo de 90º con el cuerpo y con las palmas vueltas hacia arriba. Levante las piernas, doble las rodillas y sitúelas justo encima de la cadera. Inspire hondo y estabilice su centro.

①

2. Espire mientras levanta lentamente las piernas hacia el techo. Estire los dedos tanto como pueda y compruebe que las rodillas siguen en la vertical de las caderas. Concéntrese en abotonar más aún el ombligo mientras se estira. Vele por su estabilidad central y porque sus hombros, cuello o rostro no asuman ninguna tensión. Inspire y relaje su centro a la vez que dobla las rodillas y devuelve las piernas a la posición inicial. Repita la secuencia 8 veces.

②

3. A continuación, añada los movimientos de la parte superior del tronco. Estire las piernas hacia el techo a la vez que espira, levante ambos brazos, la cabeza y el pecho del suelo e intente tocar los tobillos con los dedos. Procure mantener siempre una posición elegante y controlada, y no perder la estabilidad central. Inspire, relaje la estabilidad central y, a medida que las piernas recuperan lentamente su posición inicial, baje el tronco y extienda suavemente los brazos a los lados. Repita los movimientos 8 veces.

③

ARCOS ABDOMINALES

Los *Arcos abdominales*, denominados así por el arco que describen las piernas durante el ejercicio, fortalecen los músculos abdominales al mismo tiempo que desarrollan los pectorales y estabilizan la pelvis para estirar los músculos de los costados de la espalda.

En los pasos 2 y 3 se estiran y tonifican también los tendones de las corvas, pero asegúrese de que sus movimientos están controlados por su fuerza central (los músculos del fondo pélvico y la capacidad de acercar el ombligo a la columna), de modo que concéntrese en mantener el centro estable en todo momento.

1. Túmbese en la *Posición del gancho* (ver página 25) con los brazos abiertos en cruz, formando un ángulo de 90º con el cuerpo, y las palmas de las manos mirando hacia arriba. Mantenga las rodillas dobladas, levante las piernas de modo que las rodillas queden en la vertical de las caderas. Inspire hondo, estabilice su centro y, al espirar, balancee las piernas lentamente hacia la derecha mientras vuelve la cabeza hacia la izquierda. Compruebe que tiene los hombros pegados al suelo. Si uno de los hombros se separa del suelo o empieza a moverse, significará que ha bajado demasiado las piernas, de modo que deberá levantarlas un poco. Inspire y devuelva piernas y cabeza a la posición central. Estabilice su posición y repita la secuencia hacia el lado contrario. Repita toda la secuencia un total de 8 veces, alternando ambos lados.

2. Regrese a la posición del gancho, con los brazos en cruz. Levante las rodillas como en el paso 1. Seguidamente, baje las piernas hacia la izquierda, pero en esta ocasión mantenga la cabeza recta. Inspire, estabilice las piernas y extiéndalas hacia el techo, estirando también la punta de los pies, hasta que las piernas formen un ángulo de 90º con el torso. Mantenga las piernas rectas y juntas, en vertical sobre las caderas. Inspire y doble las rodillas para regresar a la posición inicial. Repita el ejercicio hacia el lado derecho y a continuación repita la secuencia 8 veces, alternando un arco hacia la izquierda y uno hacia la derecha.

3. Regrese a la posición del gancho, con los brazos a los lados. Levante las rodillas (como en los pasos 1 y 2). Inspire, estabilícese y espire mientras baja las piernas hacia la izquierda, las estira, y alarga las puntas de los pies. Levante la cabeza y los hombros, dirija el brazo derecho hacia los pies y baje el cuerpo. Inspire mientras devuelve las piernas al centro y dobla las rodillas. Repita los movimientos hacia el lado derecho. Realice la secuencia completa un total de 8 veces, alternando ambos lados.

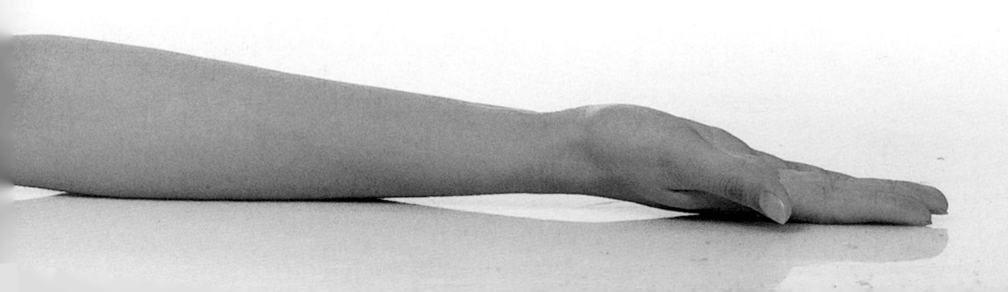

ABDOMINALES DEL RELOJ DE ARENA

En estos ejercicios, *El cortador de cintura* no sólo fortalece los músculos del torso, sino que también estiliza la cintura y tonifica la cara interior de los muslos. *La sierra* hace trabajar los músculos abdominales oblicuos internos y externos que estilizan la cintura.

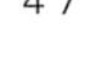

①

②

EL CORTADOR DE CINTURA

1. Tiéndase sobre el costado izquierdo con el cuerpo en línea recta, apoye la cabeza sobre la mano izquierda y la mano derecha en el suelo, delante de usted. (Compruebe que su posición está bien alineada levantando un poco la cabeza y mirándose los pies por encima de todo el cuerpo. La única parte de la mitad inferior del cuerpo que debería alcanzar a ver es la parte de la cadera que sobresale.) Coloque la mano derecha justo delante de su pecho. Mantenga los hombros separados, no permita que se junten. Inspire y estabilice su centro. A la vez que espira, levante ambas piernas del suelo tan alto como pueda, sin separarlas.

2. Mantenga las piernas en esta posición mientras cuenta lentamente hasta 4 y a continuación bájelas sin llegar a tocar el suelo. Inspire, estabilice y repita los movimientos. Levante y baje las piernas 8 veces. Repita la secuencia tendido del lado derecho.

Para complicar este ejercicio, incorpore pesos en los tobillos. También puede aumentar el tiempo que sostiene la posición, así como el número de repeticiones.

Si apoyar la cabeza en la mano le resulta incómodo, coloque una toalla doblada sobre el brazo y apoye la cabeza en ella, sin dejar de controlar la alineación del cuello con la columna.

LA SIERRA

1. Siéntese en el suelo con la espalda recta y las piernas estiradas, aproximadamente a una cadera de distancia. Flexione los pies echando los dedos hacia atrás y los talones hacia delante. Abra los brazos en cruz a la altura de los hombros. Inspire profundamente y concéntrese en estabilizar su centro.

2. Rote hacia la derecha desde la cintura. Mientras espira, baje el tronco y estire la mano izquierda por encima del pie derecho. Inspire mientras regresa a la posición inicial. Repita la secuencia hacia la izquierda, procurando mantener la espalda, las piernas y los brazos rectos. Repita 8 veces hacia cada lado.

①

②

EL ESCARABAJO

Este ejercicio es excelente porque no sólo fortalece los abdominales y la estabilidad central, sino que tiene la ventaja añadida de tonificar los tríceps y los músculos de los antebrazos. El escarabajo es particularmente apropiado para todas aquellas personas a las que no les gusten los ejercicios abdominales que implican levantar la cabeza y el cuello del suelo. Antes de abordarlo, asegúrese de que controla la estabilidad central (ver páginas 26-27) y que sabe adoptar la posición de la columna neutra (ver página 25).

1. Tiéndase en el suelo. Levante los brazos por encima del pecho, con los codos ligeramente doblados. Doble y levante las rodillas hasta que queden encima de las caderas, con las plantas mirando al suelo (como un escarabajo boca arriba).

2. Inspire, estabilice su centro y, mientras espira, baje lentamente los brazos detrás de la cabeza casi hasta tocar el suelo. Realice un suspiro profundo: eso hará que sus costillas bajen hacia las caderas y le ayudará a mantener el centro estable. Inspire y levante los brazos hasta el pecho. Repita 8 veces.

3. Apoye las manos en el suelo, por encima de su cabeza. Levante las piernas, aún dobladas, de modo que las rodillas queden en la vertical de las caderas. Inspire, estabilice el centro y, al espirar, baje lentamente las piernas hasta el suelo. Levántelas de nuevo hasta tener las rodillas sobre las caderas, inspire e inicie la siguiente repetición. Repita la secuencia 8 veces.

4. Adopte de nuevo la posición del escarabajo (paso 1). Inspire, estabilice su centro y, mientras espira, mueva los brazos tal como se describe en el paso 2 y las piernas como en el paso 3, pero ahora de forma simultánea. Repita 8 veces.

Brazos: practique el movimiento de los brazos sosteniendo algún objeto –como una pelota de tenis– y vaya aumentando el peso hasta utilizar pesas. Piernas: practique el movimiento con pesos en los tobillos o estire más las piernas. (Cuanto más las separe del cuerpo, más difícil será el ejercicio.)

ESTIRAMIENTOS ABDOMINALES

Una parte de su rutina habitual debe consistir en estirar cada grupo de músculos inmediatamente después de realizar un ejercicio en el que intervengan. Por ejemplo, realice ejercicios abdominales y, a continuación, realice estos estiramientos abdominales.

La cobra y *El puente* estiran los músculos abdominales desde el esternón hasta el pubis. Con *La esfinge* notará cómo estira los abdominales superiores. (El puente estira también los cuadríceps de la parte frontal de los muslos.)

LA COBRA

Túmbese boca abajo, con las piernas estiradas y las manos en el suelo bajo su pecho, con las palmas hacia abajo y los dedos mirando hacia delante. Inspire y, al espirar, estire los brazos y levante el tronco, como si intentara mover el suelo. Relaje los hombros, estire el cuello y asegúrese de que su pelvis sigue en contacto con el suelo. Mantenga la posición entre 20 y 30 segundos.

LA ESFINGE

Túmbese boca abajo, con las piernas estiradas. Apoye la cabeza en los antebrazos, con los codos en la vertical de los hombros y las palmas planas en el suelo. Inspire y, mientras espira, levante la cabeza, los hombros y el pecho del suelo. Levante la barbilla, relaje los hombros y estire el cuello. Al levantar la barbilla, deslice las palmas por el suelo hacia su pecho, como si intentara arrastrar el suelo con ellas. Espire, relájese y mantenga la posición unos 20 segundos.

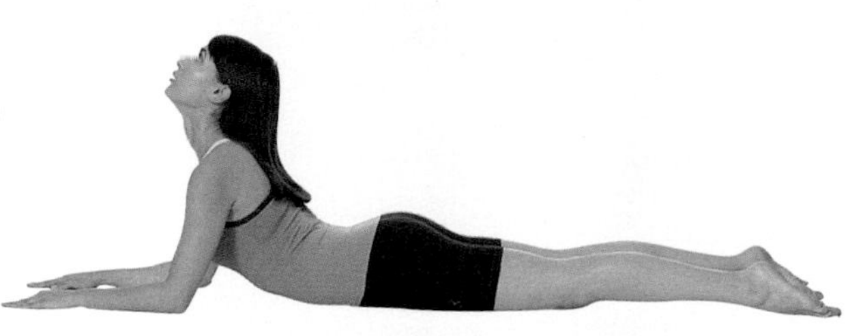

EL PUENTE

Tiéndase en la *Posición del gancho* (ver página 25). Deslice los talones hacia los glúteos, manteniéndolos ligeramente separados. Inspire y contraiga los glúteos. Al espirar, levante la pelvis del suelo, aguantando el peso del cuerpo con las manos en los riñones y entonces, manteniendo los glúteos en tensión, acerque los pies un poco más a las caderas. Mantenga esta posición unos 20 segundos.

UNA ESPALDA FUERTE SOSTIENE TODO EL CUERPO. LAS VÉRTEBRAS Y LOS DISCOS DE LA COLUMNA NECESITAN MOVIMIENTO PARA CONSERVAR LA VITALIDAD Y LA AGILIDAD, YA QUE SI NO SE VUELVEN RÍGIDOS Y LOS MÚSCULOS QUE LOS RODEAN SE AGARROTAN. ASÍ COMIENZAN LOS DOLORES DE ESPALDA. CON EL TIEMPO, ADEMÁS, UNA POSTURA INCORRECTA PUEDE PROVOCAR MÁS DOLOR. CUANTO MÁS MUEVA SU CUERPO, MEJOR SE MOVERÁ ÉSTE. PRACTIQUE LOS EJERCICIOS DE ESTE CAPÍTULO PARA FORTALECER LA ESPALDA Y MOVER LA COLUMNA.

UNA ESPALDA FUERTE

ESTIRAMIENTOS DE CUELLO Y HOMBROS

El cuello y los hombros son las zonas del cuerpo donde suele acumularse la tensión muscular. La rigidez puede provocar dolores de cabeza, dolor, tortícolis y limitación en el movimiento de la cabeza. Para evitar esos problemas, debemos educar el cuello y los músculos de los hombros para que aprendan a relajarse. Realice estos ejercicios, estiramientos y movimientos para mitigar la tensión, especialmente después de haber estado sentado delante de un ordenador o conduciendo durante períodos largos: le ayudarán a aliviar el estrés y le permitirán relajarse. Ejecute los movimientos con delicadeza, ya que hacerlo con una brusquedad excesiva puede ser contraproducente y causar aún más dolor.

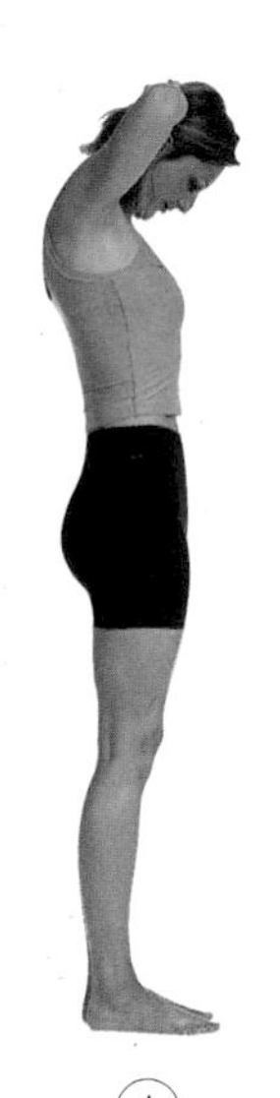

1

1. ESTIRAMIENTO DE NUCA

Póngase de pie, con los pies ligeramente separados. Cruce los dedos y coloque las manos en la parte trasera de la cabeza. Inspire. Luego espire y, simultáneamente, aplique una leve presión sobre la cabeza de modo que la barbilla se acerque al pecho. Mantenga los hombros relajados. Conserve la posición 20 segundos.

❗ *El estiramiento lateral de cuello es excelente para los músculos del trapecio superior, ya que previene la tensión que puede provocar dolor de cuello o de cabeza.*

2. ESTIRAMIENTO LATERAL DE CUELLO

Póngase de pie, con los pies ligeramente separados, levante el brazo derecho y coloque la mano derecha sobre la cabeza de tal modo que se toque la oreja izquierda. Deje el brazo izquierdo paralelo al cuerpo. Inspire y mantenga los hombros rectos. Espire y empuje suavemente la cabeza hacia el hombro derecho. Mantenga la posición 20 segundos. (Para que el estiramiento sea aún más acusado, estire el brazo izquierdo hacia el suelo.) Notará el estiramiento en el lateral del cuello y la parte superior de los hombros. Repita la secuencia en el otro lado.

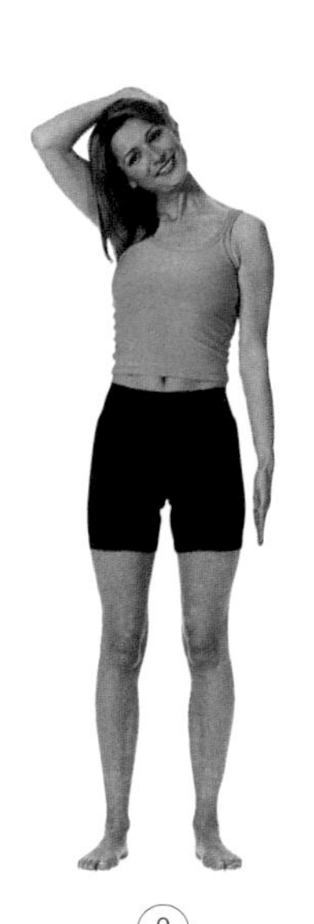

2

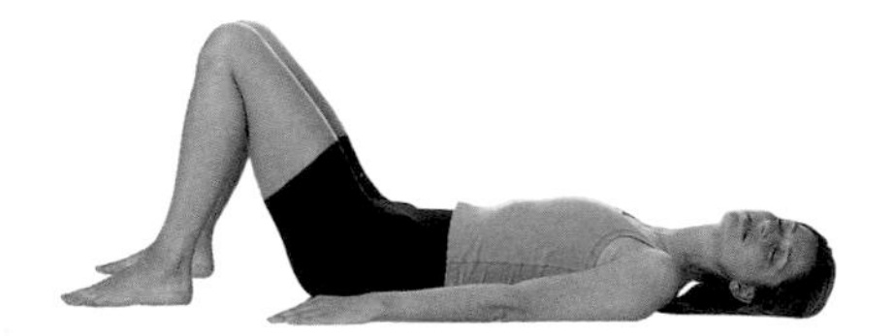

(3)

3. ESPIRALES CON EL CUELLO

Túmbese en la *Posición del gancho* (ver página 25), con los brazos a los lados y los ojos cerrados. Imagine que tiene pintura negra en la punta de la nariz y que va a pintar una espiral imaginaria en el aire. Rote la cabeza de manera que la nariz describa círculos cada vez más grandes. Visualice la espiral. Respire normalmente. Gire la cabeza suavemente, con tranquilos movimientos circulares, y mantenga los hombros relajados. Cuando haya terminado la espiral imaginaria, cambie la dirección de sus movimientos. Comience por el círculo más grande y vaya reduciendo paulatinamente el tamaño de los círculos hasta regresar al punto central.

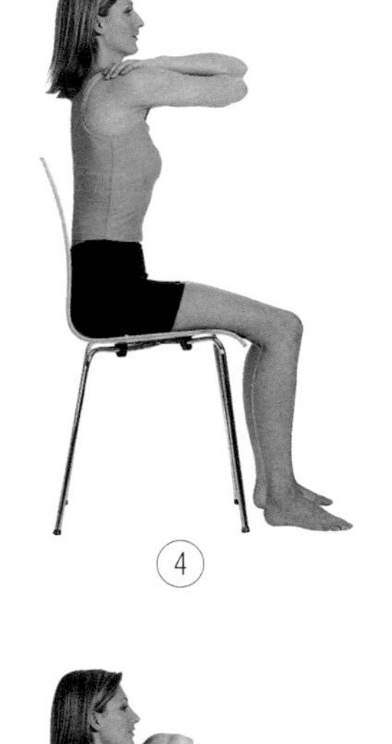

(4)

4. ESTIRAMIENTO DE CUELLO Y HOMBROS

Siéntese en una silla con los pies en el suelo. Cruce los brazos sobre el pecho, cogiéndose suavemente los hombros con las manos. Levante los codos hasta la altura de los hombros. Espire y separe los codos del cuerpo, manteniéndolos siempre a la altura de los hombros. Descanse. Repita tres veces.

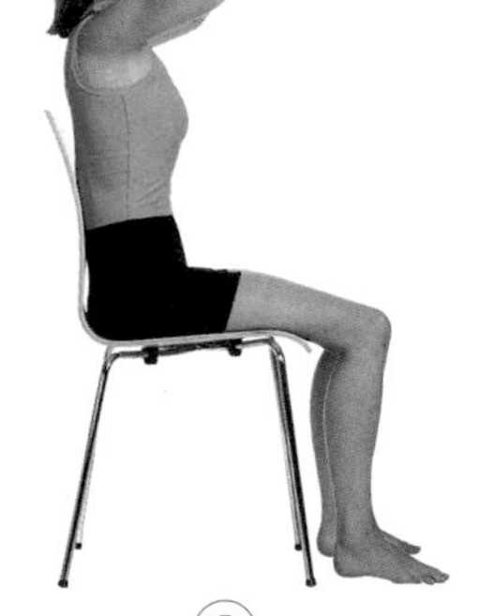

(5)

5. MOVIMIENTO DE HOMBROS

Siéntese con la espalda recta, colóquese los dedos entre la nuca y los hombros, con los codos abiertos a la altura de los hombros. Rote lentamente los codos hacia delante 8 veces, y a continuación hacia atrás otras 8 veces. Repita la secuencia 3 veces.

(6)

6. UN ALIVIO PARA LOS OMÓPLATOS

Siéntese en una silla con la espalda recta, inspire y relaje los hombros. Espire y acerque lentamente la barbilla al pecho, de modo que sobresalga la papada. Con la barbilla gacha, estire la nuca imaginando que le tiran de las orejas con cuerdas. Mantenga la barbilla gacha. Repita 6 veces. (Puede realizar este ejercicio mientras conduce: acerque la barbilla al pecho e intente echar la cabeza hacia atrás, contra el reposacabezas, para fortalecer los músculos del cuello.)

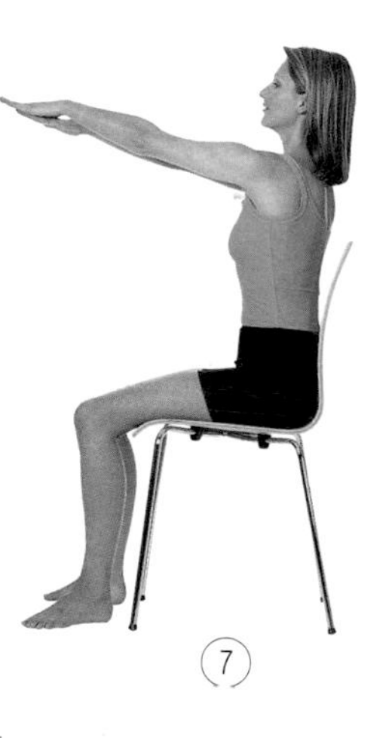

(7)

7. ESTIRAMIENTO COMPLETO DE ESPALDA

Siéntese en una silla con la espalda recta y los pies en el suelo, ligeramente separados. Alargue los brazos hacia delante, a la altura de los hombros, y coloque la mano izquierda sobre la derecha. A continuación, levante los brazos hasta tener las manos a la altura de las orejas. Espire y estire el brazo izquierdo un poco más que el derecho. Mantenga la posición 8 segundos. Luego repita el estiramiento alargando más el brazo derecho.

(8)

8. ESTIRAMIENTO PECTORAL

Siéntese con las manos a la espalda y los dedos entrecruzados. Manteniendo la espalda y los brazos rectos, espire y aleje las manos de su cuerpo, levantándolas a su espalda tanto como le sea posible. Imagine que tiene las orejas atadas con cuerdas y que se las estiran hacia el techo. Mantenga la posición 8 segundos. Repita la secuencia una vez más.

ESTABILIZAR LA PARTE SUPERIOR DE LA ESPALDA

Tras aprender a estabilizar su centro, ahora debe descubrir cómo se estabiliza la parte superior del torso. En la técnica Pilates, estabilizar la parte superior de la espalda es la clave para evitar que los hombros se carguen o deban soportar una tensión excesiva. La mayor parte de la tensión que se acumula en los hombros está provocada por la utilización de los músculos de esta parte del cuerpo (el trapecio superior) cada vez que queremos mover los brazos. Si en lugar de eso fortalece y utiliza los músculos de la parte superior de la espalda, especialmente los que se encargan de echar hacia atrás los omóplatos (los romboides y el serrato anterior) evitará gran parte de la tensión y mejorará la postura. Si aprende a fijar o estabilizar los hombros en relación con la espalda, moverá los hombros y los brazos de manera correcta y evitará el uso abusivo de los músculos de los hombros, que provoca que éstos se carguen o deban soportar una tensión excesiva.

Otra consecuencia si se sobrecargan los músculos de los hombros es que los omóplatos suben y se separan de la columna (la postura correcta es aquélla en la que entre los omóplatos y la columna hay tres dedos de distancia). Los siguientes ejercicios le ayudarán a adquirir estabilidad en la parte superior de la espalda y a estabilizar los omóplatos.

Para el ejercicio llamado *Flexión de hombros con pesas* necesitará unas pesas.

LEVANTAMIENTO DE ROMBOIDES

1. Tiéndase boca abajo con las piernas ligeramente separadas y los brazos en cruz y doblados hacia arriba formando un ángulo recto. Inspire y contraiga los glúteos. Este movimiento activa los músculos de la espalda y fortalece los romboides.

2. Mientras espira, levante ambos brazos hacia arriba. Mantenga la posición un par de segundos, inspire y baje lentamente los brazos hasta tocar prácticamente el suelo. Repita el movimiento 8 veces y vaya aumentando el número de repeticiones hasta que su fuerza le permita llegar a 24. Asegúrese de que, al levantar los brazos, mantiene el ángulo de 90º y de que no baja los codos.

Puede hacer que este ejercicio sea más duro utilizando pesas de mano.

FLEXIÓN DE HOMBROS

1. Póngase de pie, con los pies ligeramente separados y los brazos a los lados. Inspire y estabilice su centro. Espire y junte los omóplatos.

2. Baje los omóplatos y manténgalos en esa posición un par de segundos. Inspire y repita la secuencia 10 veces. A medida que vaya progresando, incremente el tiempo de espera de 2 a 10 segundos.

❗ *Intente no echar los hombros hacia atrás de forma agresiva. Al principio es posible que sus omóplatos tengan un movimiento muy limitado, pero éste irá aumentando con la práctica.*

FLEXIÓN DE HOMBROS CON PESAS

1. Empiece de pie, con las piernas un poco más separadas de lo normal. Coja las pesas de mano. Inspire y levante los brazos, con los codos doblados, hasta la altura de los hombros, de modo que las manos le queden delante del pecho.

2. Espire, junte los omóplatos y hágalos bajar. Inspire y mantenga la posición. Puede que los codos bajen un poco: espire y recoja lentamente los brazos hasta que los codos queden a la altura de los hombros. Inspire y devuelva los brazos a su posición inicial. Relaje la parte superior del cuerpo y compruebe que los codos no han vuelto a bajar un poco. Repita toda la secuencia entre 8 y 16 veces.

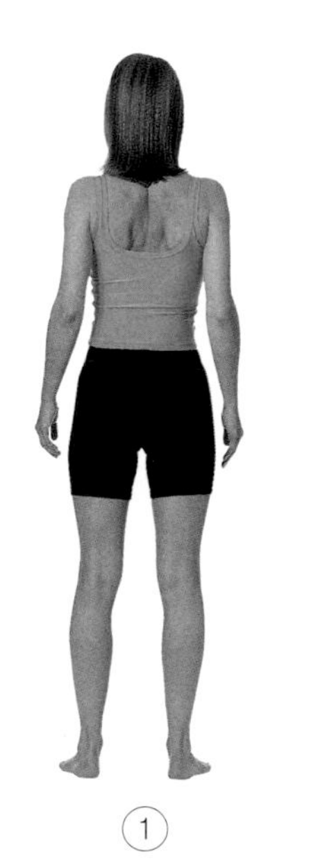

①

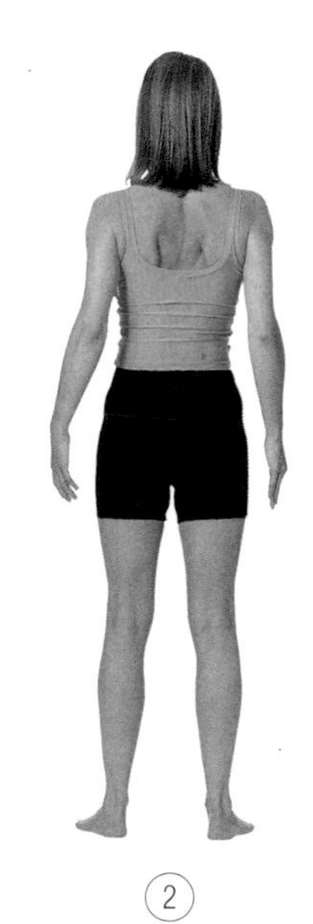

②

①

②

DAR DE COMER A LOS PÁJAROS

Éste es otro ejercicio que le permitirá estabilizar los omóplatos y lograr un mayor equilibrio de la parte superior del tronco. El ejercicio *Dar de comer a los pájaros* potencia el trapecio medio y el serrato anterior, el músculo que se utiliza al acercar el omóplato a la columna.

1

1. Empiece de pie, con los pies un poco más separados de lo normal y la barbilla formando un ángulo de 90º con el pecho. Haga subir y bajar el omóplato izquierdo un par de veces para asegurarse de que no está tenso. Baje una vez más el omóplato izquierdo y apoye con firmeza la mano derecha sobre el hombro izquierdo. Doble el brazo izquierdo con la palma hacia abajo y ahuecando la mano como si estuviera dando de comer a los pájaros. Inspire y estabilice su centro.

2. Espire y levante el brazo lentamente, como si lo estuviera moviendo por entre una melaza espesa. Concéntrese en el trabajo de los músculos de la parte inferior del brazo y de debajo del omóplato. Repita toda la secuencia 8 veces con el omóplato izquierdo y luego 8 veces más con el omóplato derecho.

! *Para comprender la mecánica del ejercicio intente practicarlo sin presionar el omóplato con la otra mano; verá cómo el hombro se levanta y no nota nada en la parte superior de la espalda.*

2

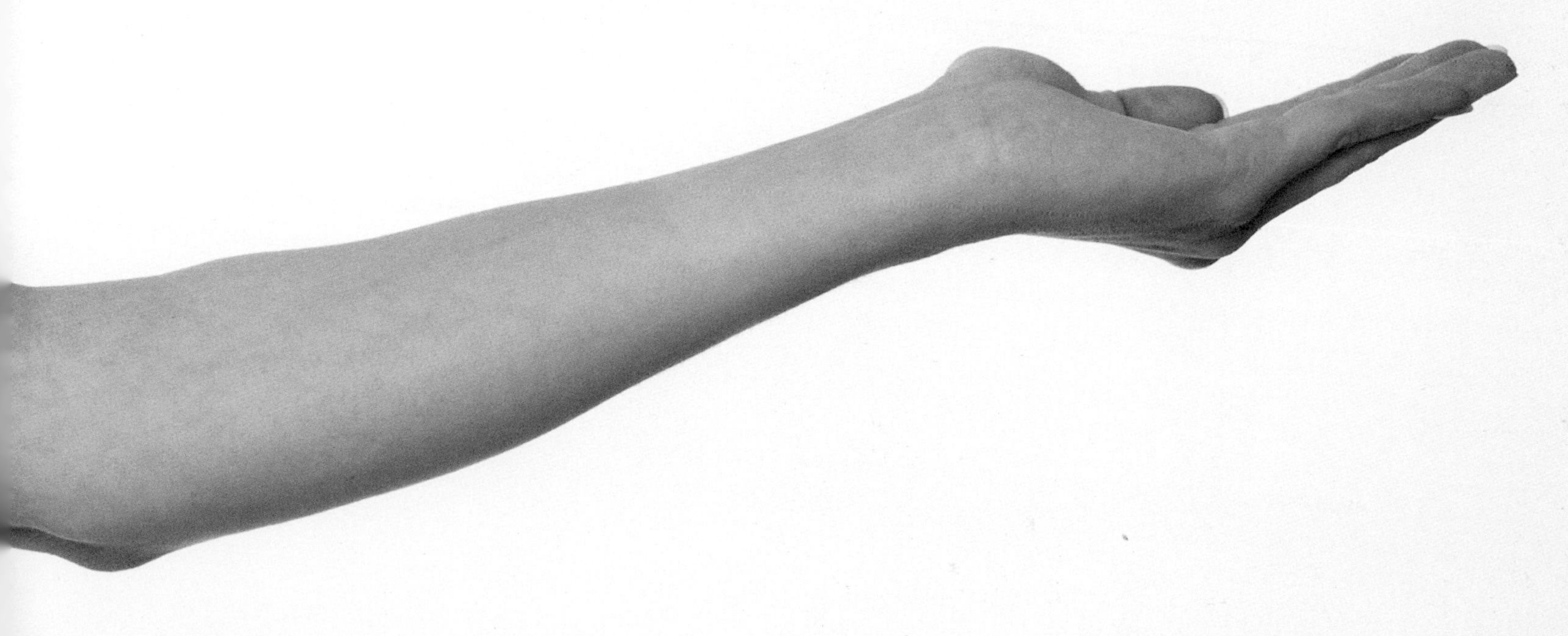

ALAS DE ÁNGEL

Este ejercicio resulta muy útil para hacer trabajar y estirar el gran dorsal, y también para asegurarse de que goza de un radio de movimiento completo en las articulaciones de los hombros y en la parte inferior de la espalda. El gran dorsal es, en realidad, un grupo de músculos largos y triangulares que se extienden por toda la región lumbar, sostienen los hombros por abajo y mantienen la espalda recta. Los utilizamos para muchas actividades que implican movimientos de brazo poderosos, por ejemplo para jugar al golf, al tenis, al béisbol y los bolos, y también para nadar y remar.

Si mantiene esos músculos en estado óptimo evitará problemas como una curvatura excesiva de la parte inferior de la espalda, que obliga a la pelvis a inclinarse y puede provocar dolor en la zona lumbar.

Para este ejercicio necesitará una cinta elástica.

3

1. Dé dos vueltas de cinta alrededor de cada mano (que oponga resistencia firme pero sin tensión). Póngase de pie, con las piernas un poco más separadas de lo habitual. Levante los brazos por encima de la cabeza, de modo que la cinta quede tensa pero no demasiado. Inspire y estabilice su centro.

2. A la vez que espira, baje la cinta hasta detrás de los hombros, cerciorándose de que queda por debajo de los omóplatos. Mantenga la barbilla levantada, formando un ángulo de 90º con el cuerpo, y el cuello estirado. La cinta a su espalda no debe estar completamente tensada y debe mantenerla entre 2,5 y 5 centímetros alejada de su cuerpo. Inspire a la vez que levanta de nuevo los brazos por encima de la cabeza, siempre con la cinta medianamente tensada. Repita la secuencia 8 veces. (A medida que vaya ganando fuerza podrá aumentar el número de repeticiones.)

3. Lleve la cinta hasta la parte baja de la espalda, con los codos apuntando a su cintura y las manos hacia los lados. No deje que la cinta toque su cuerpo. Inspire y estabilice.

4. A la vez que espira, abra los brazos tanto como pueda, tensando la cinta al máximo; imagine que es un ángel intentando desplegar las alas. Repita 8 veces los pasos 3 y 4.

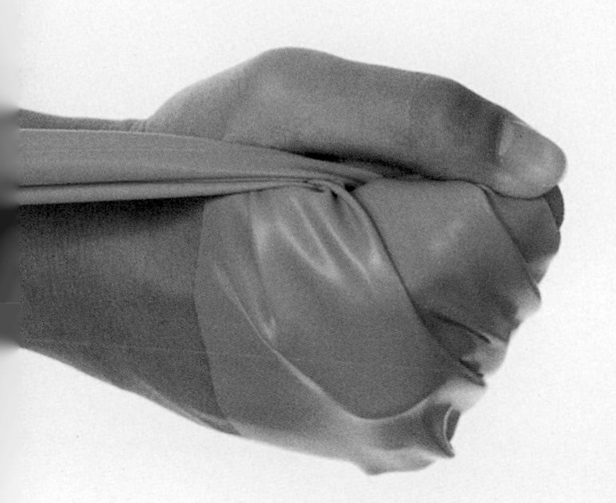

LA SIRENA

Este ejercicio estira la columna, y hace trabajar los lumbares y los músculos abdominales oblicuos. Los lumbares son importantes para mantener la parte baja de la espalda fuerte y sana, y ayuda también a estabilizar la espalda. Cuando no se refuerza y estira, este músculo envía el dolor a las caderas, las nalgas y las piernas. Fortalecer los lumbares puede ayudar a aliviar el dolor de la parte baja de la espalda, tanto si está provocado por una mala alineación de las vértebras lumbares como por problemas de disco.

1. Tiéndase sobre el costado, con los muslos en línea con el cuerpo y las rodillas dobladas (las pantorrillas formando un ángulo de 90º respecto a los muslos). Apoye el tronco en el antebrazo derecho y ponga la mano izquierda sobre la cadera. Inspire y estabilice su centro. (Si le duele el codo, coloque una toalla blanda doblada debajo del brazo.)

2. Mientras espira, intente estirar la columna y el cuello como si tuviera una cuerda que fuera desde el hueso sacro (en la base de la columna) hasta lo alto de la cabeza. Continúe apoyando el peso del cuerpo sobre el antebrazo y la cadera. Realice el estiramiento 8 veces, tiéndase del otro costado y repita el ejercicio 8 veces más.

3. Recupere la posición inicial. Espire y estire la columna, esta vez levantando las caderas de tal modo que todo el peso del cuerpo quede apoyado en el antebrazo y en las rodillas. Mantenga los hombros separados y el cuello estirado. Repita el estiramiento 8 veces; a continuación tiéndase del otro costado y repita el ejercicio 8 veces más.

4. Tiéndase sobre el costado derecho, con las piernas alienadas con el cuerpo. Cruce la pierna de arriba por delante de la de abajo a la altura del tobillo. Inspire y estabilice su centro.

5. A la vez que espira, levante todo el cuerpo hasta una posición de apoyo lateral total. Ahora el cuerpo se apoya tan sólo sobre el antebrazo y los pies. El objetivo es alargar el cuerpo formando una línea recta desde los pies, pasando por la pelvis y la columna hasta llegar a lo alto de la cabeza. Repita el movimiento 8 veces; tiéndase del otro costado y repita el ejercicio 8 veces más.

TONIFICACIÓN LUMBAR

La curva lumbar (la curva natural de la parte inferior de la espalda que le confiere a la columna su forma de S) facilita la absorción de los impactos por parte de la columna. Incluso los movimientos más corrientes, como correr o saltar, tienen impacto en la columna. Cualquier alteración por defecto o por exceso (lordosis) de la curva lumbar puede provocar problemas de espalda. Los siguientes ejercicios fortalecen los músculos de toda la región lumbar, lo que ayuda a mantener la curva lumbar en su lugar. Los dolores en la parte inferior de la espalda, en la zona de los riñones y en los pies pueden deberse a un debilitamiento del *psoas*, un músculo interno de la columna que, si se tonifica debidamente, puede ayudar a prevenir la lordosis.

ENTRENAMIENTO DEL *PSOAS*

Tiéndase boca arriba con las rodillas sobre la vertical de la cadera y los pies separados del suelo. Coloque las manos planas sobre los muslos, los dedos mirando hacia arriba apuntando hacia las rodillas. Atraiga los muslos contra la resistencia que oponen sus manos mientras mantiene la columna bien pegada al suelo. Espire y mantenga la posición durante 10 segundos; el músculo espinal que nota que se contrae es el *psoas*. Repita 8 veces.

LAS MANECILLAS DEL RELOJ

Tiéndase en la *posición del gancho* (ver página 25) y levante las rodillas por encima de las caderas. Concéntrese en el movimiento de los músculos de la parte inferior de la espalda y trace con las rodillas 4 círculos en el sentido de las agujas del reloj, y luego 4 más en sentido contrario.

LEVANTAMIENTO LUMBAR

Este ejercicio es efectivo si sufre dolores en la parte baja de la espalda.
Túmbese boca abajo en el suelo, con los brazos estirados por encima de la cabeza. Doble la rodilla derecha de modo que la pantorrilla describa un ángulo de 90º con el muslo. Relaje los brazos y la parte superior del tronco e inspire. Al espirar, levante el fondo pélvico y tense el glúteo derecho. Levante la rodilla derecha del suelo hasta donde sea capaz, sin separar el hueso de la cadera del suelo. Repita la secuencia 8 veces con cada pierna.

EL CUCHARÓN LUMBAR

Realice este ejercicio sólo si no tiene problemas en la parte baja de la espalda.
Túmbese boca abajo en el suelo, con los brazos estirados por encima de la cabeza. Separe las rodillas, doble las piernas y cruce los tobillos. Relaje los hombros y la parte superior del tronco. Inspire. Mientras espira, levante el fondo pélvico y a continuación levante también las rodillas tan arriba como le sea posible, sin despegar el hueso de la cadera del suelo. Trabaje sólo la parte inferior del cuerpo con movimientos lentos y controlados. Inicialmente repita 8 veces, y vaya progresando en series de 8 repeticiones cada una.

EL PUENTE

Si bien es cierto que unos glúteos bien tonificados son una parte atractiva del cuerpo, también desempeñan una importante función de sujeción de la espalda. El músculo más grande y superficial que cruza los glúteos es el llamado glúteo mayor, que actúa como estabilizador de la parte baja de la espalda. Según la kinesiología, algunos problemas como la pérdida de libido pueden estar relacionados con una disminución del funcionamiento de este músculo, de modo que cuidar los glúteos es una forma de cuidar su vida amorosa.

Los pasos 1 y 2 del ejercicio de la página siguiente ayudan a estirar la columna y hacen trabajar el glúteo medio, que está parcialmente cubierto por el glúteo mayor. Con los pasos del 3 al 5 se contrae y acorta el glúteo mayor, reforzando y tonificando este importante músculo. Para este ejercicio necesitará una cinta elástica.

1. Enrolle la cinta elástica alrededor de la parte central de los muslos de modo que quede tensa y hágale un nudo para mayor seguridad. Tiéndase en la *Posición del gancho* (ver página 26) con los brazos en el suelo y a los lados. Inspire, levante los músculos del fondo pélvico y a continuación, empezando por la rabadilla, arquee la columna y sepárela del suelo hasta adoptar la forma de un puente.

2. Una vez en esta posición, espire, contraiga los glúteos y separe las rodillas tanto como pueda, venciendo la resistencia de la cinta elástica. Repita el movimiento una vez más. Inspire mientras baja de nuevo la columna hasta el suelo, comenzando por las cervicales y terminando por la rabadilla. Para que le resulte más sencillo realizar este movimiento correctamente, dirija la caja torácica hacia la pelvis. Repita toda la secuencia 8 veces.

3. Adopte de nuevo la *Posición del puente* (paso 1). Inspire. A continuación espire al mismo tiempo que levanta ambos talones del suelo, de modo que apoye su peso en los pulpejos. Contraiga los glúteos. Relájelos y repita la secuencia 8 veces.

4. Apoye los talones en el suelo y levante las puntas de los pies de modo que todo su peso repose en los talones. Contraiga los glúteos. Relájelos y repita la secuencia 8 veces.

5. Levante simultáneamente el talón del pie izquierdo y los dedos del derecho. Contraiga los glúteos. Relájelos y repita la secuencia 8 veces, cambiando de pie.

1

2

3

4

5

ENTRENAMIENTO TOTAL DE ESPALDA

Ahora que ha aprendido a trabajar diversos músculos de la espalda, desde el serrato anterior, en lo alto de la espalda, hasta el *psoas*, en la región lumbar, este mini-entrenamiento total de espalda le ayudará a reforzar más aún estos músculos cruciales.

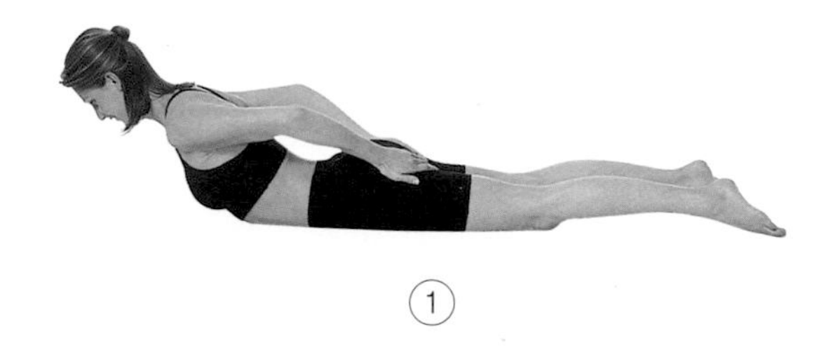

1

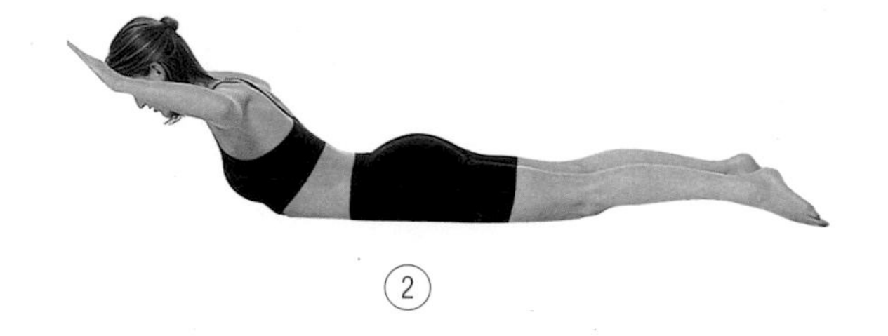

2

EXTENSIONES DE ESPALDA

1. Túmbese boca abajo con las piernas separadas y las palmas de las manos sobre los glúteos. Inspire, levante el fondo pélvico y contraiga los glúteos. Espire a la vez que levanta lentamente la parte superior del tronco, la cabeza y el pecho del suelo. Para mantener el cuello alineado con la columna, mire hacia el suelo todo el rato. Inspire mientras baja lentamente hasta casi tocar el suelo. Repita la secuencia entre 8 y 16 veces.

2. Túmbese en la posición inicial del paso 1, pero en esta ocasión con los brazos doblados por el codo, formando un ángulo de 90° respecto al cuerpo y apoyando las palmas en el suelo. Espire, levante los brazos, el pecho y la parte superior del tronco; inspire y baje hasta casi tocar el suelo. Repita la secuencia entre 8 y 16 veces.

Si el ejercicio le parece sencillo, pruebe este otro: Túmbese boca abajo en el suelo, con los brazos estirados frente a usted y con una mano encima de la otra. Levante los brazos, el pecho y la parte superior del tronco, procurando mantener el cuello alineado con la columna, y los brazos y las manos también en línea, como si fueran la prolongación natural de su espalda. Controle la respiración y realice movimientos pausados. Para que el estiramiento sea aún más intenso, colóquese pesos en las muñecas o sostenga uno entre las manos.

ESTIRAMIENTO TRASERO LUMBAR

1. Tiéndase boca arriba en la *Posición del gancho* (ver página 25). Relaje los hombros, acerque las rodillas a la barbilla sosteniéndolas con firmeza con ambas manos y mantenga la posición durante 20 segundos. Así estirará los músculos de la región lumbar. Regrese a la *Posición del gancho.*

2. Sujétese las rodillas y, en esta ocasión, al mismo tiempo que se las pega al pecho, levante la parte superior del tronco hasta tocar con la nariz en las rodillas. Relaje y repita el movimiento 4 veces.

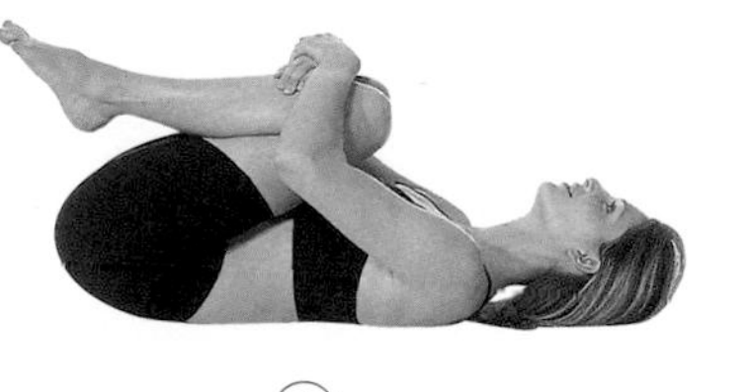

1

2

ESTIRAMIENTOS DE ESPALDA

Ya sea por el estrés provocado por una mala postura o por alguna lesión, la espalda (y en particular las regiones torácica y lumbar) puede convertirse en una zona de tensión muscular crónica. Realizar estos estiramientos de espalda de manera regular le ayudará a aliviar tensión y dolores. Además, después de una sesión de ejercicios de espalda deberían realizarse también estiramientos de espalda.

1. LA MEDIA LUNA
Comience de pie, con las piernas separadas. Levante los brazos por encima de la cabeza. Cójase la muñeca izquierda con la mano derecha. Mantenga las piernas rectas y dóblese hacia la izquierda hasta donde le sea posible, tirando suavemente de la muñeca. Repita el movimiento cogiéndose la muñeca derecha con la mano izquierda.

2. LA PLEGARIA
Arrodíllese en el suelo con las rodillas y los tobillos bien juntos. Siéntese encima de los talones y baje el tronco hasta tocar los muslos, con los brazos estirados delante de la cabeza. Relájese y mantenga la posición durante 20 segundos.

3. LA PITÓN
Adopte la posición final de *La plegaria*. A continuación separe las nalgas de los talones y deslice los brazos hacia delante hasta donde le sea posible. Baje el cuerpo hacia el suelo sin bajar los codos. Relájese y mantenga la posición durante 20 segundos.

4. EL TIGRE
Póngase a cuatro patas, con los dedos de los pies apuntando hacia atrás y los de las manos apuntando hacia delante. Relaje los abdominales e inspire y estabilice su centro. Arquee la columna hacia arriba, acerque la barbilla al pecho y meta la rabadilla, como un tigre desperezándose. Mantenga la posición durante 20 segundos.

5. EL ARCO
Tiéndase en la *Posición del gancho* (ver página 25), con los brazos estirados en el suelo por encima de la cabeza y las palmas mirando hacia arriba. Levante el cuerpo y forme un puente. Ahora intente visualizar todas las vértebras de la columna a medida que las devuelve lentamente al suelo, empezando por la zona lumbar y terminando por la nuca. Dirija la caja torácica hacia abajo para que así la columna torácica y la lumbar alcancen el suelo antes que los glúteos.

6. LA TORSIÓN
Siéntese con la espalda recta y apóyese con las manos tras las caderas, las palmas en el suelo y las piernas estiradas. Doble la pierna izquierda, pase el pie izquierdo por encima de la pierna derecha y deslice el talón hacia los glúteos. Ahora pase el brazo derecho por encima de la pierna izquierda y coloque el codo derecho en la parte externa de la rodilla izquierda. Espire y mire por encima del hombro izquierdo a la vez que gira el tronco y acerca la rodilla al pecho con el codo derecho. Mantenga la posición durante 20 segundos. Repita por el otro lado con la pierna derecha doblada y el pie derecho por encima de la pierna izquierda.

AHORA QUE HA INCREMENTADO LA FUERZA DE SUS MÚSCULOS ABDOMINALES Y DE LA ESPALDA, PASAREMOS A EJERCITAR Y ESTIRAR LOS MÚSCULOS DEL PECHO, LOS BRAZOS Y LAS PIERNAS. TENER UN PECHO Y UNAS EXTREMIDADES FUERTES MEJORA EL TONO MUSCULAR GENERAL, AL IGUAL QUE LA ESTABILIDAD CENTRAL. ADEMÁS, ALIVIA LA TENSIÓN EN MÚSCULOS Y LIGAMENTOS, POTENCIANDO SU FLEXIBILIDAD Y MOVILIDAD, A LA VEZ QUE PROTEGE LAS ARTICULACIONES, ESPECIALMENTE LAS DE LA CADERA, LAS RODILLAS Y LOS HOMBROS.

EXTREMIDADES FLEXIBLES

LOS ROTADORES Y LOS DELTOIDES

Las articulaciones de los hombros son las que tienen un mayor grado de movimiento. Sin embargo, si no ejercitamos los músculos que las sujetan ese grado disminuye y puede provocar una posición encorvada.

Por ese motivo, le recomiendo que fortalezca el grupo de músculos conocidos como los rotadores, o articulaciones de rotación, situados en la parte alta de la espalda y en los hombros, que hacen trabajar las articulaciones de los hombros. Los músculos rotadores están parcialmente contraídos la mayor parte del tiempo para sostener los brazos, de modo que es muy importante mantenerlos fuertes. Otro motivo añadido para tener rotadores fuertes es que permite jugar a golf, tenis u otros deportes con soltura, ya que para ello precisa de unos hombros fuertes.

Yo aconsejo a mis clientes trabajar también otro grupo de músculos de la articulación de los hombros: los deltoides. Se trata de unos importantes músculos que utilizamos para mover los brazos hacia delante y hacia los lados.

Para estos ejercicios necesitará una cinta elástica.

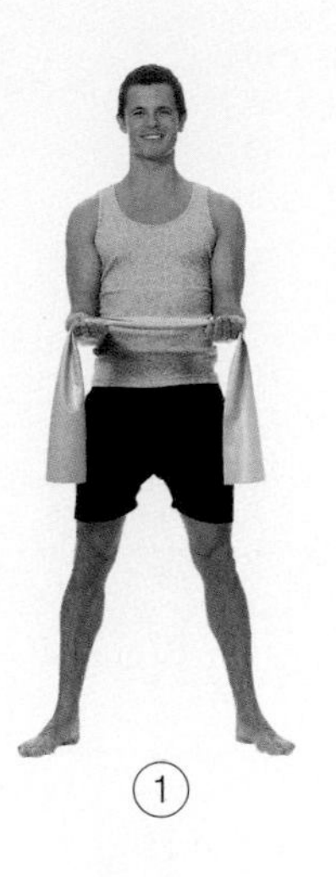

(1)

REFORZAR LOS ROTADORES

1. Póngase de pie con las piernas bien separadas. Con las manos a una cadera de separación y mirando hacia abajo, coja la cinta. Relaje los hombros, estire el cuello y pegue los codos a la cintura. Sostenga la cinta a la altura del ombligo.

2. Inspire y estabilícese. Al espirar, estire la cinta tanto como pueda hacia los lados. Mantenga los codos pegados a la cintura. Inspire mientras devuelve los brazos lentamente a la posición inicial. Repita la secuencia 8 veces. En la última repetición, destense la cinta sólo hasta la mitad y repita 8 veces el medio movimiento hacia los lados. Mantenga el centro estable durante todo el rato.

(2)

LEVANTAMIENTO DE DELTOIDES

Los pasos 1 y 2 hacen trabajar el deltoides anterior, mientras que los pasos 3 y 4 se concentran en el deltoides medio.

(1)

1. Comience de pie, con las piernas bastante separadas. Coja la cinta elástica con ambas manos, ponga la mano derecha junto a la cadera derecha y la mano izquierda delante del ombligo.

2. Inspire y estabilícese. Sin mover la mano derecha, espire a la vez que tira de la cinta con la mano izquierda hasta la altura del hombro. Repita 8 veces. Termine con 8 movimientos de medio alcance, estirando la cinta hasta la altura del hombro pero bajándola tan sólo hasta la mitad del camino. Repita toda la secuencia con el lado derecho.

(3)

3. Pise un extremo de la cinta con el pie izquierdo y coja el otro extremo con la mano izquierda. Inspire y estabilícese.

4. Espire y levante el brazo izquierdo hasta la altura del hombro, manteniendo la articulación del codo relajada. Repita 8 veces y termine con 8 movimientos de medio alcance. Reproduzca toda la secuencia con el lado derecho.

(2)

(4)

BÍCEPS, TRÍCEPS Y PECTORALES

Muchos programas de ejercicios se centran fundamentalmente en el torso y las piernas, y en cambio suelen pasar por alto los brazos. Estos ejercicios tonificarán y fortalecerán sus brazos. Las *Rotaciones de bíceps* trabajan los músculos flexores de la parte frontal de los brazos, mientras que las *Flexiones Pilates* (al igual que las *Extensiones de tríceps*) fortalecen la parte trasera y el músculo pectoral mayor. Para las *Rotaciones de bíceps* y las *Extensiones de tríceps* necesitará una cinta elástica.

ROTACIONES DE BÍCEPS

Pise un extremo de la cinta elástica con el pie derecho, con las piernas algo más separadas de lo habitual. Sostenga el otro extremo con la mano derecha. Pegue el codo derecho al cuerpo. Inspire y estabilice su centro. Espire y doble el brazo derecho, acercando la mano al hombro, sin apartar el codo de la cadera. Repita lentamente 8 veces. A continuación, haga lo mismo con el lado izquierdo.

FLEXIONES PILATES

Póngase a cuatro patas. Deslice las rodillas ligeramente hacia atrás, levante los pies del suelo y acerque las pantorrillas a las nalgas. Cruce los pies a la altura de los tobillos. Separe las manos de modo que queden mucho más separadas que los hombros, estabilice su centro y baje el cuerpo hacia el suelo. Espire a medida que vuelve a subir. Realice 8 flexiones lentas.

■ *Si las flexiones estándar le resultan difíciles, pruebe esta variación simplificada: sitúese de pie con las piernas separadas a un metro de una pared. Inspire, estabilice su centro y a continuación apóyese en ella con las manos y eche el peso de la parte superior del cuerpo contra la pared. Debería tener los brazos doblados a la altura del codo y las palmas a la altura de los hombros. Espire, separe el cuerpo de la pared, y a continuación regrese a la posición inicial. Repita entre 8 y 16 veces.*

◆ *Si las flexiones estándar le resultan demasiado fáciles, pruebe esta versión más difícil. Comience desde la misma posición que en las flexiones estándar, pero con las piernas estiradas hacia atrás y apoyando el peso sobre los dedos de los pies. Esta posición aprovecha toda la longitud y el peso del cuerpo durante la flexión. Repita los movimientos de la flexión estándar, tratando de utilizar en cada repetición toda la estabilidad central. Junte los brazos si quiere hacer trabajar aún más los tríceps.*

EXTENSIONES DE TRÍCEPS

Pise un extremo de la cinta elástica con el pie derecho, con las piernas separadas. Sostenga el otro extremo con la mano derecha. Con el codo doblado, lleve el antebrazo hasta detrás de la oreja. Inspire y estabilice su centro. Espire y extienda el brazo hacia el techo. Inspire y dóblelo de nuevo. Haga 8 repeticiones y luego cambie de mano.

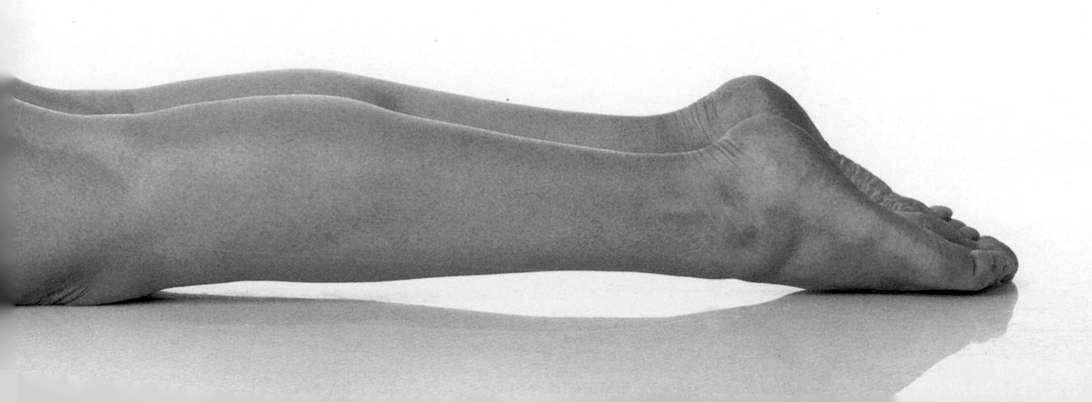

ESTIRAMIENTOS DE HOMBROS, BRAZOS Y PECHO

Estirar los hombros, los brazos y el pecho mejora el tono muscular y la circulación en toda esta zona, al mismo tiempo que potencia la capacidad de rotación del hombro. También es importante estirar los hombros, brazos y pecho al final de una sesión de ejercicios para evitar la rigidez, y que las fibras musculares se encojan. Para el *Estiramiento del rotador* va a necesitar una cinta elástica.

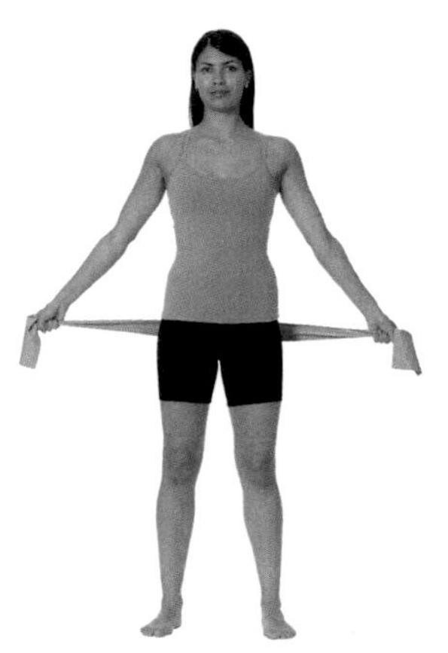

1. ESTIRAMIENTO DEL ROTADOR
Colóquese de pie, sosteniendo ambos extremos de la cinta elástica por detrás de las nalgas, con los puños cerrados mirando hacia delante. Inspire. Al espirar, levante los brazos de modo que la cinta le pase por encima de la cabeza y bájela por delante del cuerpo. Mantenga los brazos estirados hasta que la cinta quede suspendida delante de los muslos. Inspire. Espire y vuelva a pasar la cinta por encima de la cabeza y bájela por la espalda hasta las nalgas. Mantenga los brazos nivelados entre sí. (A medida que su rotación de hombros vaya mejorando, realice el ejercicio acercando más las manos en la cinta.)

2. ESTIRAMIENTO DE HOMBRO
Comience de pie con la espalda derecha y los pies ligeramente separados. Cójase el hombro izquierdo con la mano derecha, doblando el codo. Sujétese el codo derecho con la mano izquierda. Espire, y con la mano derecha presione suavemente el codo hacia el pecho. Mantenga el estiramiento durante 20 segundos. Repita el movimiento con el brazo izquierdo.

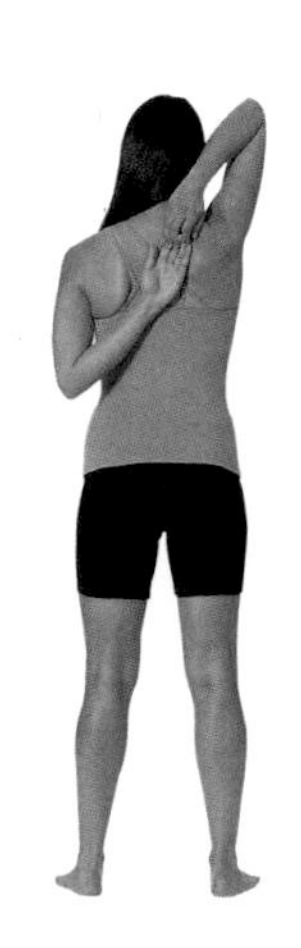

3. ESTIRAMIENTO DE TRÍCEPS
Póngase de pie, con los pies separados, y deslice la mano izquierda por la espalda tan arriba como le sea posible. Levante el brazo derecho, doble el codo y trate de cogerse los dedos de la mano izquierda por detrás de la espalda. (Si no alcanza, utilice la cinta elástica o una toalla para salvar la distancia entre las manos. A medida que vaya progresando intente ir juntando gradualmente las manos.) Mantenga el estiramiento 20 segundos y luego repita con el brazo derecho por abajo y el izquierdo por arriba.

4. ESTIRAMIENTO DE BÍCEPS
Para este ejercicio necesitará una pared en la que apoyarse. Inspire, colóquese de cara a la pared y levante el brazo izquierdo hasta apoyar la mano en ella, a la altura de los hombros. Apoye la palma en la pared, con los dedos apuntando hacia el techo y el pulgar hacia el suelo. Entonces póngase de espaldas a la pared de tal forma que el brazo izquierdo realice una rotación externa a la altura del hombro. Espire y haga girar el codo para que la parte interior quede mirando hacia el techo, todo ello sin mover la mano. Mantenga el estiramiento 20 segundos y repita con el brazo derecho. Haga rotar el brazo derecho en el sentido de las agujas del reloj y el izquierdo en el sentido contrario.

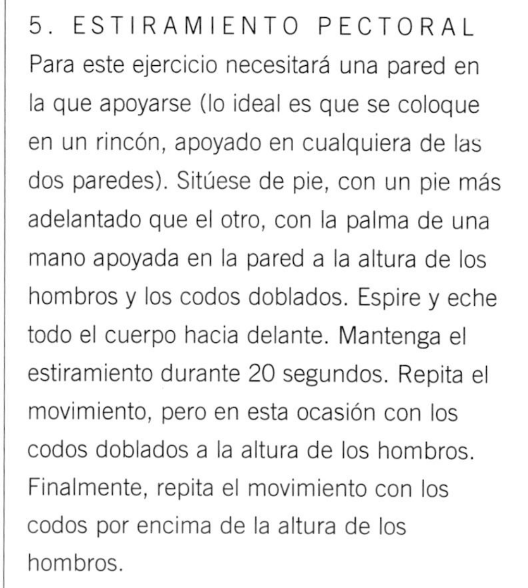

5. ESTIRAMIENTO PECTORAL
Para este ejercicio necesitará una pared en la que apoyarse (lo ideal es que se coloque en un rincón, apoyado en cualquiera de las dos paredes). Sitúese de pie, con un pie más adelantado que el otro, con la palma de una mano apoyada en la pared a la altura de los hombros y los codos doblados. Espire y eche todo el cuerpo hacia delante. Mantenga el estiramiento durante 20 segundos. Repita el movimiento, pero en esta ocasión con los codos doblados a la altura de los hombros. Finalmente, repita el movimiento con los codos por encima de la altura de los hombros.

LAS RODILLAS Y LAS PARTES INTERNA Y EXTERNA DE LOS MUSLOS

Los músculos de los muslos incluyen los abductores, los aductores y la banda iliotibial (que actúa como estabilizador de la articulación de la rodilla). Los ejercicios que encontrará a continuación no sólo tonificarán y darán forma a sus muslos, sino que también fortalecerán las articulaciones de sus rodillas. Para los *Círculos de cadera* necesitará una cinta elástica.

CÍRCULOS DE CADERA

Tiéndase en la *Posición del gancho* (ver página 25), envuélvase el muslo derecho con la cinta elástica y tire de ella hacia arriba con la mano derecha. Coloque la mano izquierda sobre la cadera izquierda para evitar que la pelvis oscile de lado a lado. Inspire y estabilice su centro. Espire y tense suavemente la cinta para atraer la pierna derecha hacia el pecho. Manteniendo los hombros relajados y la rabadilla bien pegada al suelo, respire normalmente mientras con la pierna realiza 3 amplios círculos en el sentido de las agujas del reloj y 3 en el sentido contrario. Repita el ejercicio con la pierna y la mano izquierdas.

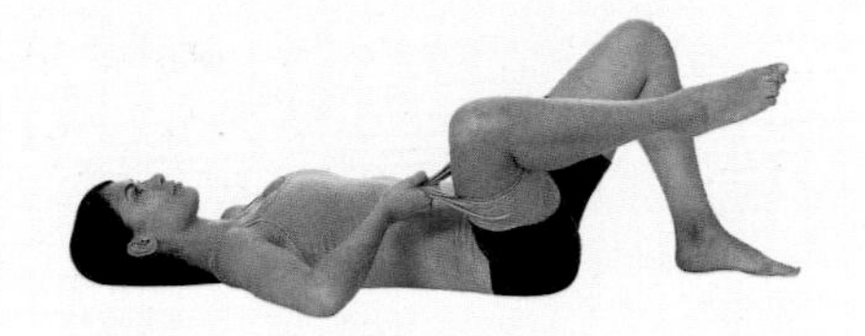

LEVANTAMIENTOS CON LA PARTE EXTERNA DEL MUSLO (ABDUCTOR)

1. Tiéndase sobre el lado derecho, con el cuerpo recto y la cabeza apoyada en la mano derecha. Doble la pierna que toca al suelo 90° para mantener el equilibrio. Ponga la mano izquierda sobre la cadera y gírela ligeramente hacia delante, de modo que los dedos que se apoyan en la pierna que aún tiene recta apunten hacia el suelo. A continuación, ponga la mano izquierda en el suelo delante de usted.

2. Levante la pierna que está recta unos 12 centímetros por encima del suelo: ésa es la posición más baja que debe alcanzar durante las repeticiones. Inspire y estabilice su centro. A medida que espira, eleve lentamente la pierna hacia el techo (con los dedos apuntando aún hacia el suelo), y bájela a continuación. Realice un total de 8 levantamientos. Entonces levante la pierna y bájela sólo hasta la mitad 8 veces más. Mientras realice estos movimientos de medio alcance mantenga la estabilidad central. Repita toda la secuencia con la otra pierna. Compruebe frecuentemente que no ha girado la cadera hacia atrás y que los dedos de los pies siguen apuntando al suelo.

LEVANTAMIENTOS CON LA PARTE INTERNA DEL MUSLO (ADUCTOR)

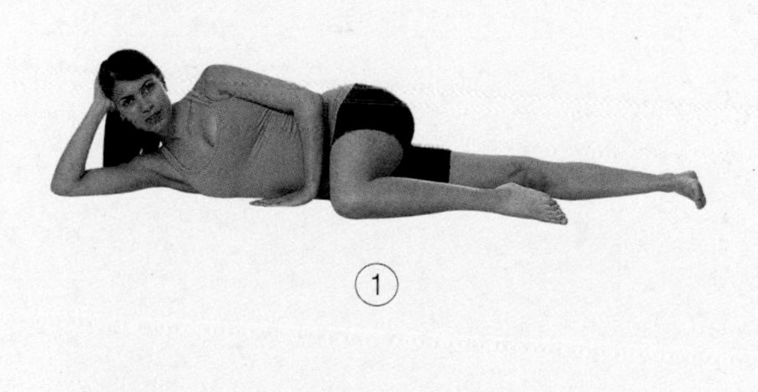

1. Tiéndase sobre el lado derecho con el cuerpo recto y la cabeza apoyada sobre la mano derecha. Doble la rodilla izquierda y deslice la pierna hacia delante. La parte interna del muslo de la pierna derecha no debe mirar hacia arriba.

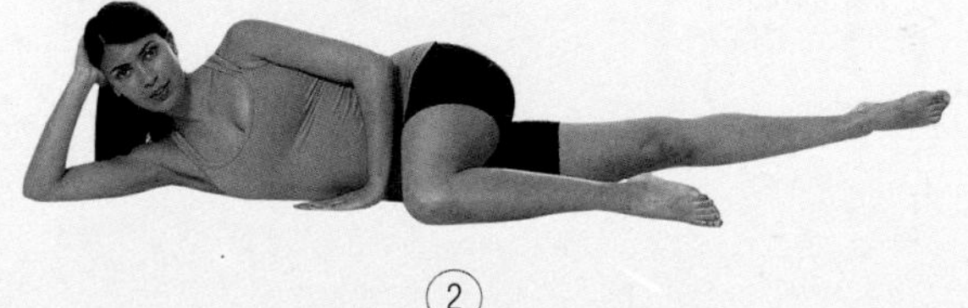

2. Estire los dedos del pie derecho. Inspire y estabilice su centro. Espire y levante lentamente la pierna derecha 8 veces (levántela tanto como pueda y bájela casi hasta tocar el suelo). A continuación flexione el pie izquierdo, estirando el talón, y realice otros 8 levantamientos. Finalmente, manteniendo la pierna justo por encima del suelo, describa con ella 4 pequeños círculos a partir de la articulación de la rodilla y procurando mantener la pierna recta en todo momento. Repita toda la secuencia de nuevo, esta vez tendido sobre el lado izquierdo.

CUADRÍCEPS Y TENDONES DE LA CORVA

Los cuadríceps son un grupo de cuatro músculos situados en la parte delantera de cada muslo. Juntos forman un poderoso extensor para la rodilla. Están involucrados en prácticamente todos los dolores o inestabilidades de rodilla y, si son demasiados cortos o están tensos de forma crónica, pueden provocar dolores en la parte baja de la espalda. Los tendones de la corva participan en el movimiento de doblar la pierna y son básicos para realizar las actividades diarias, como por ejemplo caminar. Unos tendones de la corva crónicamente cortos o tensos pueden provocar dolor en la parte baja de la espalda y en las rodillas, o diferencias en la longitud de las piernas. Finalmente, unos tendones de las corvas débiles pueden derivar en unas piernas torcidas y contribuir al síndrome de la pierna inquieta y a la fatiga de las piernas.

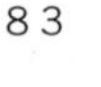

LEVANTAMIENTOS DE CUADRÍCEPS

1. Tiéndase boca arriba con las piernas estiradas y los brazos a los lados. Doble la pierna derecha y ponga el pie en el suelo. Levante ligeramente la pierna izquierda manteniendo el tobillo flexionado. Inspire y estabilice su centro. Espire y levante completamente la pierna izquierda. Mantenga la estabilidad central.

2. Estire el pie izquierdo. Mantenga el estiramiento unos cuatro segundos y a continuación baje lentamente la pierna izquierda hasta casi tocar el suelo. Inspire y prepárese para la siguiente repetición, flexione el pie y repita toda la secuencia desde el paso 1. Repita el movimiento 8 veces.

3. Manteniendo el pie izquierdo estirado y el centro bien estable todo el tiempo, baje la pierna izquierda hasta que ambos muslos queden a la misma altura. Suba y baje la pierna en este medio movimiento 8 veces. Luego repita toda la secuencia con la pierna derecha.

ROTACIONES DE LOS TENDONES DE LA CORVA

1. Tiéndase boca abajo con las piernas estiradas y ligeramente separadas. Relaje la parte superior del tronco y doble la pierna izquierda hasta que forme un ángulo de 90º, con el pie estirado. Sin dejar que los huesos de la cadera se separen del suelo, levante la rodilla izquierda del suelo (y manténgala ahí durante el resto del ejercicio).

2. Inspire y estire la pierna izquierda. Levante el fondo pélvico, contraiga el glúteo izquierdo y espire a la vez que dobla la pierna lentamente 90º de nuevo; para ello imagine que su pierna se desplaza por entre melaza espesa. Realice 8 repeticiones y a continuación repita toda la secuencia con la pierna derecha.

MUSLOS TOBAGO

Este ejercicio lo diseñé especialmente para una clienta que tenía dificultades para mover las caderas, ya que sufría rigidez en las articulaciones de las caderas provocadas por la ciática. La clienta en cuestión quería también tonificar las caderas y los muslos como preparación para su visita anual a la isla caribeña de Tobago; sin embargo, no es necesario ir a una isla tropical para beneficiarse de este ejercicio. El músculo de la cadera que notará que trabaja duro es el glúteo medio.

1. Tiéndase sobre el lado derecho, apoyando la cabeza en la mano y con las piernas dobladas frente a las caderas. Mantenga los pies juntos. Inspire y estabilice su centro.

2. Al espirar, levante la rodilla izquierda. Apoye el pie izquierdo sobre el derecho, talón contra talón, con los muslos formando un ángulo de 90º entre sí. Asegúrese de que mueve la pierna izquierda desde la cadera y que no utiliza la pelvis.
A continuación rote ligeramente el pecho hacia el suelo sin cambiar la posición de las piernas. Repita el levantamiento de muslo 8 veces.

3. Inspire, estabilice su centro y levante la rodilla izquierda de modo que sus muslos formen de nuevo un ángulo recto. Espire y, manteniendo la rodilla doblada, levante la pierna izquierda y trace con la rodilla un semicírculo imaginario en el aire.

4. Apoye la rodilla izquierda sobre el suelo, delante de usted. Haga rotar la cadera de modo que la planta del pie mire hacia el techo. Repita 8 veces.

5. Apoye la rodilla izquierda sobre el suelo delante de sus caderas. Inspire y estabilice su centro. Al espirar, estire la pierna izquierda de forma que describa un ángulo de 90º con su torso. Rotándola desde la cadera, levante la pierna izquierda y estírela como si intentara tocar el techo con la planta del pie. Repita 8 veces. Cambie de posición y repita toda la serie por el lado izquierdo.

❗ *Si su cadera tiene un movimiento limitado y sólo puede levantar la pierna izquierda ligeramente no se preocupe; intente ganar elasticidad en la articulación realizando regularmente círculos de cadera (ver página 80).*

ESTIRAMIENTOS DE PIERNAS Y CADERA

Tener los cuadríceps o los músculos de las corvas cortos fomenta el dolor en la parte baja de la espalda y en las rodillas, y si los tendones de las corvas están tensos pueden restringir su movimiento al andar o al correr. Los músculos de las corvas y los aductores son conocidos como *músculos de desarrollo*, lo que significa que pueden estirarse más que otros músculos del cuerpo. Estirar las piernas estabiliza y protege las articulaciones de las rodillas, y permite aumentar la movilidad, algo fundamental si se practican deportes. Para los estiramientos de piernas necesitará una cinta elástica. (He incluido también un estiramiento de cadera para el músculo piriforme, ya que la rigidez en las caderas puede provocar dolor ciático en las piernas.)

1. ESTIRAMIENTO DE CUADRÍCEPS

Tiéndase boca abajo en el suelo, con la mano izquierda bajo la frente y las piernas ligeramente separadas. Doble la pierna derecha por detrás. Aguante el pie derecho con la mano derecha, presionando el pie hacia los glúteos. (Si no llega al pie, envuélvalo con la cinta elástica y tire de ella.) A continuación pegue las caderas firmemente al suelo para incrementar así el estiramiento en la parte delantera del muslo. Espire y mantenga la posición 20 segundos. Repita con la pierna izquierda.

2. ESTIRAMIENTOS DEL TENDÓN DE LA CORVA Y DEL ABDUCTOR

(Este ejercicio combina dos estiramientos que, por su facilidad de ejecución, se llevan a cabo uno tras otro, con una parte del cuerpo primero y con la otra después.)

A. Tiéndase boca arriba en el suelo, con las piernas estiradas frente a usted. Doble la pierna izquierda hacia el pecho y envuelva el pulpejo del pie con la cinta. Coja ambos extremos de la cinta con la mano izquierda. Estire la pierna izquierda hacia el techo

1

2 A

con el pie flexionado y la rodilla recta. Espire y mantenga la posición hasta notar que la tirantez en la parte trasera del muslo empieza a remitir; a continuación inspire y espire mientras acerca el muslo aún más a su pecho.

B. Manteniendo la pierna izquierda bien recta, cambie de mano, sostenga la cinta con la derecha y prepárese para estirar el abductor. Estire la pierna izquierda hacia el hombro derecho, asegurándose de que mantiene la cadera bien pegada al suelo. (Se trata de un movimiento mínimo, pero sabrá cuándo ha llegado a la posición correcta porque notará cómo se le estira el músculo del abductor.) Espire y mantenga el estiramiento 20 segundos. A continuación, cambie de pierna y repita los estiramientos de la corva y el abductor con la pierna derecha.

3. ESTIRAMIENTOS DE ADUCTOR

Tiéndase en la *Posición del gancho* y envuélvase el pulpejo del pie izquierdo con la cinta elástica. Coja la cinta con la mano izquierda y estire la pierna hasta que esté recta. Coloque la mano derecha en la parte interna del muslo derecho y baje el muslo hacia la derecha. A continuación mueva la otra pierna tan hacia la izquierda como le sea posible, separando los muslos al máximo. Mantenga la pierna izquierda bien estirada. Cuando note que le tira la parte interior del muslo, espire y mantenga la posición hasta que el tirón se disipe. Repita la secuencia con la pierna derecha.

❗ *Los tendones de la corva y los aductores pueden desarrollarse con tiempo y paciencia. Cada vez que note un tirón, afloje el estiramiento y repítalo forzando un poco más pero suavemente el músculo.*

4. ESTIRAMIENTO DE CADERA

Tiéndase en la *Posición del gancho* y coloque el tobillo izquierdo sobre la rodilla derecha. Sitúe la mano derecha detrás del muslo derecho y deslícelo hacia el hombro derecho, asegurándose de que la parte baja de la espalda esté en contacto con el suelo todo el tiempo. Aparte la rodilla izquierda con la mano izquierda para que el estiramiento sea más intenso. Espire y mantenga la posición durante 20 segundos; notará un tirón en la cadera izquierda. Cambie de pierna y estire la derecha.

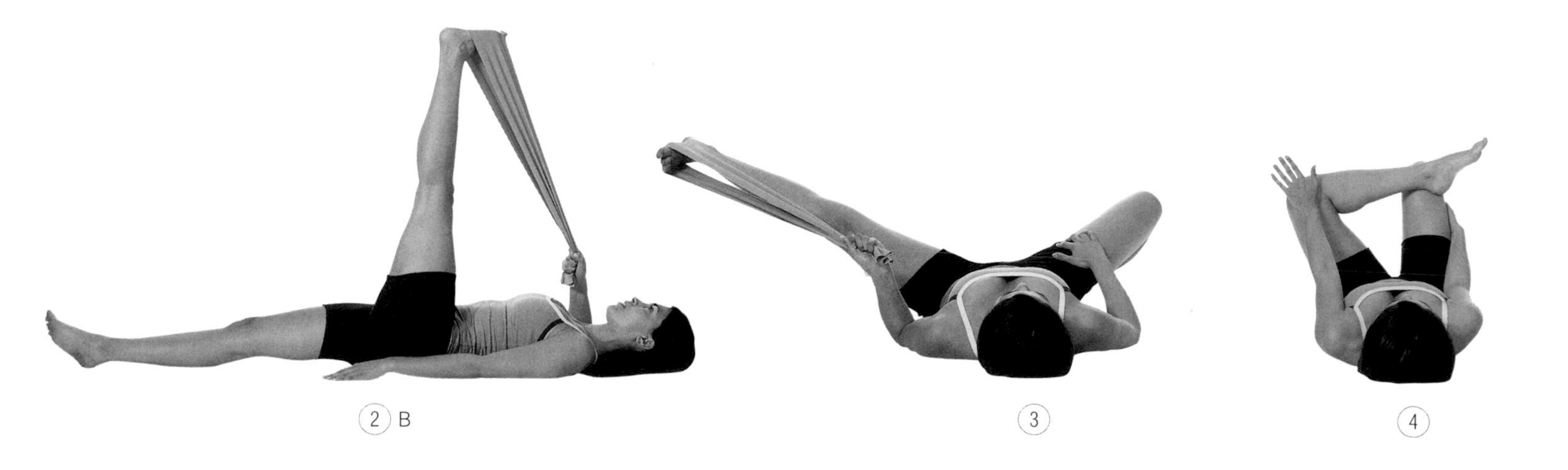

(2) B (3) (4)

SERIES PILATES

Cuando haya practicado todos mis ejercicios Pilates probablemente querrá combinarlos en una serie que pueda llevar a cabo regularmente. Yo he diseñado varias series utilizables en función del tiempo de que disponga y del nivel alcanzado; cada una de ellas supone una sesión de ejercicio efectiva y equilibrada.

No olvide calentar antes de empezar cualquier sesión, por muy corta que sea, para evitar tirones y lesiones. Puede realizar los ejercicios de calentamiento de las páginas 32-33 o, si lo prefiere, puede comenzar por algún ejercicio cardiovascular como caminar. Si es un principiante, por ejemplo, y desea llevar a cabo la sesión de ejercicios de 10 minutos, caliente caminando unos 20 minutos: 5 a paso lento, 10 a medio ritmo y, finalmente, otros 5 a paso lento.

SESIONES DE EJERCICIOS DE 10 MINUTOS

NIVEL PRINCIPIANTE:

- Calentamiento Pilates (páginas 32-33)
- La cuerda floja –paso 1, ambos lados– (página 22)
- Desplazamientos de talón x 8 con cada pierna (página 37)
- Arqueamientos pélvicos x 8 (página 37)
- Abotonar el ombligo (tendido) x 16 (página 29)
- La cobra (página 51)
- Círculos de cadera con cinta x 3 en cada sentido y con cada pierna (página 80)
- El arco (página 71)

NIVEL INTERMEDIO:

- Calentamiento Pilates (páginas 32-33)
- La cigüeña con ambas piernas (página 23)
- Tirar de la cuerda x 8 (página 41)
- Arcos abdominales –paso 2 x 8– (página 45)
- Estiramiento de La cobra (página 51)
- La sirena –paso 2 x 8 en cada lado– (página 63)
- Estiramientos de espalda –paso 2 x 8– (página 69)
- La plegaria (página 71)
- La pitón (página 71)
- El tigre (página 71)

NIVEL AVANZADO:

- Calentamiento Pilates (páginas 32-33)
- La cigüeña, trabajando 2 minutos con cada pierna (página 23)
- Abdominales de alta intensidad 2 x 16, mantener cada repetición unos segundos en la posición erguida (página 39)
- Arcos abdominales –paso 3 x 8– (página 45)
- La esfinge (página 51)
- La cobra (páginas 51)
- La sirena –pasos 4 y 5 x 8 en cada lado– (página 63)
- Extensiones de espalda –opción avanzada x 8– (página 69)
- La plegaria (página 71)
- La pitón (página 71)
- La media luna (página 71)

SESIONES DE EJERCICIOS DE 30 MINUTOS

NIVEL PRINCIPIANTE:

- Calentamiento Pilates (páginas 32-33)
- La cuerda floja (página 22)
- Espirales con el cuello (página 55)
- Flexiones pélvicas x 8 (página 25)
- La mariposa –pasos 1 y 2 x 8– (página 43)
- Arcos abdominales –paso 1 x 8 en cada lado– (página 45)
- El escarabajo –pasos 1 y 2 con un peso ligero x 8– (página 49)
- Estiramiento del puente (página 51)
- El puente –pasos 1 y 2 con cinta x 8– (página 67)
- Estiramiento de cadera en ambos lados (página 87)
- Levantamiento lumbar x 8 en cada lado (página 65)
- Levantamiento de romboides x 8 (página 56)
- El tigre (página 71)
- La pitón –paso 3– (página 71)
- Levantamientos con la parte externa del muslo –pasos 1 y 2 x 8 en cada lado– (página 81)
- Levantamientos de cuadríceps x 8 en cada lado (página 83)
- Estiramientos del tendón de la corva y del abductor con cinta, en ambos lados (páginas 86-87)
- Estiramiento del abductor en ambas piernas (página 87)
- Estiramiento del cuadríceps en ambas piernas (página 86)
- La plegaria (página 71)
- Reforzar los rotadores con cinta x 8 (página 75)
- Extensiones de tríceps con cinta x 8 en ambos lados (página 77)
- Estiramiento de rotadores x 3 (página 79)
- Estiramiento de tríceps en ambos lados (página 79)

NIVEL INTERMEDIO:

- Calentamiento Pilates (páginas 32-33)
- La cuerda floja –paso 3– (página 22)
- Tirar de la cuerda x 8 (página 41)
- Estiramiento trasero lumbar (página 69)
- El escarabajo –paso 4 x 8, añadir pesos ligeros al gusto– (página 49)
- La mariposa –pasos 1 y 2 x 8– (página 43)
- Estiramiento del puente (página 51)
- El puente –pasos 1 y 2 x 8– (página 67)
- El giro en ambos lados (página 71)
- Flexiones Pilates x 8, descansar cinco segundos y repetir x 8 (página 77)
- Muslos Tobago –pasos 1 a 5 en ambos lados, en total 24 repeticiones en cada lado– (página 85)
- Estiramientos de abductor y del tendón de la corva con cinta, ambos lados (páginas 86-87)
- Estiramiento de cadera ambos lados (página 87)
- Estiramiento pectoral –paso 5– (página 79)
- Alas de ángel con cinta x 8 (página 61)
- Rotaciones de bíceps x 8 en cada lado (página 76)
- Estiramientos de tríceps x 8 en cada lado (página 77)
- Estiramiento de hombros (página 55)
- Estiramiento de tríceps en ambos lados (página 79)
- Estiramiento de bíceps en ambos lados (página 79)
- La media luna –paso 1– (página 71)

NIVEL AVANZADO:

- Calentamiento Pilates (páginas 32-33)
- La cigüeña, 2 minutos con cada pierna (página 23)
- Espirales de cuello (página 55)
- Arcos abdominales –paso 3 x 8 en cada lado– (página 45)
- El escarabajo –paso 4 x 8 con pesos– (página 49)
- Tirar de la cuerda –opción avanzada x 16– (página 41)
- Rotaciones de los tendones de la corva con pesos x 8 en cada pierna (página 83)
- Estiramientos de espalda –opción avanzada x 16, pesos en las manos si es necesario– (página 69)
- La plegaria (página 71)
- La pitón (página 71)
- Flexiones Pilates con los brazos separados –opción avanzada x 16– (página 77)
- El tigre x 3 (página 71)
- El cortador de cintura con pesos en los tobillos x 8 en cada lado (página 63)
- La sirena –pasos 4 y 5 con pesos x 8 en cada lado– (página 63)
- Levantamientos con la parte externa del muslo –pasos 1 y 2 con pesos x 8 en cada lado– (página 81)
- Estiramientos de abductor y del tendón de la corva con cinta, en ambos lados (páginas 86-87)
- Estiramientos de abductor en ambos lados (página 87)
- Estiramiento de cadera en ambos lados (página 87)
- Flexión de hombros con pesos x 16 (página 57)
- Estiramiento lateral de cuello en ambos lados (página 54)

TERAPIA ALIMENTICIA

Comer productos frescos y sanos puede requerir algo más de preparación que alimentarase a base de comidas precocinadas, pero a un mejor sabor se le sumará pronto una forma más sana y saludable de comer.

En este capítulo nos centramos en elementos claves de la nutrición, como la forma de equilibrar el consumo y las necesidades energéticas, la importancia de las vitaminas y los minerales, por qué necesitamos beber mucha agua y el concepto, a menudo ignorado, de la comida como placer. Y, por supuesto, compartiré con usted mis recetas favoritas para ayudarle a empezar a consumir una comida sabrosa y sana.

YO COMO TANTO POR PLACER COMO PARA RECUPERAR ENERGÍAS. ALGUNOS DE LOS MEJORES PLATOS QUE HE COMIDO HAN SIDO DE ELABORACIÓN CASERA, PREPARADOS CON ALIMENTOS SANOS, LLENOS DE SABOR Y COMPARTIDOS CON AMIGOS. MI SECRETO ES MUY SIMPLE: VARIEDAD. COMA PRODUCTOS DE TEMPORADA, BEBA MUCHA AGUA Y EQUILIBRE SU INGESTA DE ALIMENTOS CON SUS NECESIDADES ENERGÉTICAS PARA MANTENER EL PESO. NO NECESITA SABER COCINAR COMO UN CHEF, SINO TAN SÓLO TENER UN BUEN APETITO. ÉSE ES EL PRINCIPIO DE UNA ALIMENTACIÓN SANA.

CÓMO COMER

EL EQUILIBRIO ENERGÉTICO

Probablemente oirá a menudo a gente quejándose de que se siente sin energía; incluso usted mismo puede sentirse apático de vez en cuando. ¿Ha pensado alguna vez a qué se debe? Tal vez lo achaque a la falta de sueño o a un exceso de trabajo. Pero, ¿se ha planteado alguna vez que la raíz del problema puede ser que no consuma los alimentos apropiados? Al fin y al cabo, la alimentación es la principal fuente de energía del cuerpo. A continuación le mostraré cómo, eligiendo conscientemente los alimentos que consume, puede incrementar sus niveles de energía y mantener su peso ideal (o incluso perder peso si eso es lo que necesita).

En primer lugar, quiero que se olvide de todo lo que sabe sobre dietas de adelgazamiento. Para mí, *dieta* es una palabrota. Las dietas le roban energía y muchas cosas más: le deshidratan, afectan negativamente su tono de piel, le alteran el sueño, hacen que disminuya su autoestima y que aumente su estrés, que disminuya su libido y que disfrute menos de la vida, en general.

Déjeme explicarle el porqué. Si no come lo suficiente el cerebro manda un mensaje al cuerpo diciéndole que hay escasez de alimentos. El metabolismo del cuerpo se ralentiza para conservar energía y se prepara para almacenar la siguiente ingesta de comida como grasa por si vuelve a haber escasez. A continuación, el cerebro alerta a las glándulas suprarrenales para que éstas liberen las hormonas epinefrina (adrenalina) y cortisol. Eso provoca que las glándulas suprarrenales dejen de realizar su función de rejuvenecer y reparar las células del organismo y se centren en liberar reservas de energía del azúcar almacenado en el hígado y en los músculos. Entonces el cortisol comienza a descomponer los músculos en busca de más energía. El azúcar producido durante este proceso se almacena inmediatamente en las células en forma de grasa, listo para futuros períodos de escasez, y el ciclo continúa. Así pues, las dietas interfieren en la forma natural que tiene el cuerpo de procesar la comida y liberar la energía.

Los alimentos que tome son igualmente importantes. Si quiere que su cuerpo funcione a pleno rendimiento, necesita comer alimentos que contengan carbohidratos complejos, como pasta, pan integral, y frutas y verduras frescas, que ayudan al cuerpo a liberar energía de forma constante durante todo el día. Si en lugar de eso se acostumbra a recargar la energía a base de tentempiés con mucho azúcar, como chocolatinas, helados o pasteles, notará que sufre cambios de humor, irritabilidad e hiperactividad. Cuando la *sobredosis de azúcar* pierda efecto (lo que sucederá en poco tiempo) necesitará cada vez más y se verá atrapado en otro círculo vicioso, en esta ocasión el de la *adicción al azúcar*. Además, el azúcar merma sus niveles de vitamina B y hace que su cuerpo sea más propenso a las infecciones. El resultado final es un sistema inmunológico en peligro y un cuerpo graso, con una piel deteriorada y un tono muscular pobre. No es una imagen ideal, ¿verdad?

Consideremos a continuación qué cantidad y qué tipo de comida necesita ingerir para lograr un nivel óptimo de energía, y qué puede comer si sufre sobrepeso y desea adelgazar. La regla de oro es comer con moderación. Comer en exceso provoca un aumento de peso y, por sorprendente que resulte, una crisis de los niveles de energía, ya que el cuerpo desvía energías originalmente destinadas a los músculos a digerir el exceso de comida. Cuando coma, ingiera lo suficiente para satisfacer su apetito y pare de comer antes de estar completamente lleno. De esa forma dispondrá del combustible necesario para generar energía y evitará un exceso de combustible que le obligue a almacenar grasas. Se sentirá rebosante de fuerza en lugar de letárgico. Siempre que pueda, coma comida fresca, variada y *real*, tan cercana a su estado natural como sea posible. Cuando hablo de comida *real* me refiero a aquellos alimentos que se pueden coger, recolectar, ordeñar, cazar o pescar. Tome tres comidas regulares y equilibradas al día, con un par de tentempiés. En épocas en que necesite más energía (como cuando sufre estrés), tome cinco comidas más pequeñas al día. Y, finalmente, la forma de perder peso y conservar un buen nivel energético es una cuestión de equilibrio: la grasa es energía almacenada, de modo que el organismo necesita un déficit de energía entrante en comparación con la cantidad de energía que desprende el cuerpo. Una buena nutrición es la fuente de esta energía, mientras que el ejercicio proporciona los medios para gastarla. Así pues, debe utilizarla o perderla haciendo más ejercicio.

Todos nacemos con un número determinado de células grasas, determinado genéticamente durante el tiempo que pasamos en el útero materno. No tenemos forma de controlar el número de células con las que nacemos, pero podemos elegir, mediante la alimentación, cuánta grasa almacenamos en ellas. Si desea adelgazar, no recorte de forma drástica la ingesta de ninguno de los grandes grupos de comida (tal como se recomienda, por ejemplo, en las *dietas bajas en carbohidratos*). Eso sólo provocaria un desequilibrio de los niveles de azúcar que causaría problemas en el futuro. Coma una selección equilibrada y variada de alimentos no refinados de la mejor calidad que pueda permitirse. Si quiere adelgazar, intente perder entre medio y 1 kilo por semana. Aumente también los niveles de ejercicio. Si hace ejercicio y come de forma sana desarrollará una mayor cantidad de tejido muscular magro y almacenará menos grasa. Esos cambios se traducirán en un descenso de la grasa corporal, que es más importante para su salud que la cantidad de kilos que pueda perder. Notará también cómo su forma física y su tono corporal mejoran. Si resulta que no está perdiendo peso, disminuya ligeramente la cantidad de carbohidratos ingeridos hasta perder entre medio y 1 kilo por semana. Asimismo, si pierde más de 1 kilo por semana, aumente un poco la ingesta de carbohidratos.

VITAMINAS Y MINERALES

Hoy en día en los medios de comunicación se habla mucho de las vitaminas y los minerales, y de lo importantes que son para nuestra salud y nuestro bienestar. Pero ¿cuántos de nosotros sabemos exactamente qué son, por qué los necesitamos y si nuestro organismo recibe las cantidades apropiadas?

Las vitaminas y los minerales suelen conocerse con el nombre de *micronutrientes* porque nuestros cuerpos los necesitan en pequeñas cantidades para funcionar de forma apropiada. Los científicos han identificado alrededor de 15 vitaminas y 15 minerales vitales para nuestra salud. Entre sus múltiples funciones se encuentran la de ayudar a convertir los carbohidratos y la grasa en energía, regular el metabolismo, colaborar en la absorción de minerales y velar por la salud del cerebro, el sistema nervioso, la piel, los dientes y los huesos.

La mayor parte de las vitaminas que necesitamos debemos obtenerlas de los alimentos, porque nuestro organismo no puede generarlas por sí mismo. Existen dos tipos de vitaminas: las solubles en grasa –como las vitaminas A, D, E y K– y las solubles en agua –como las vitaminas B y C–. Los excesos de vitaminas solubles en grasa se almacenan en la grasa corporal y pueden resultar perjudiciales para la salud. Las vitaminas solubles en agua, en cambio, no se pueden almacenar en el cuerpo (a excepción de la vitamina B_{12}) y son excretadas con la orina, de modo que debemos asegurar una ingesta regular de esas vitaminas (ver la *Tabla de nutrientes* de las páginas 116-117).

Probablemente, la mayoría de nosotros recordamos de nuestra etapa escolar que los minerales son elementos químicos. También éstos pueden dividirse en dos categorías: los macrominerales, como el potasio, el calcio y el magnesio, que necesitamos en cantidades bastante grandes, y los microminerales u oligoelementos, como el hierro y el zinc, que precisamos en pequeñas cantidades. Como ya se ha dicho, nuestra principal fuente de minerales son los alimentos, fundamentalmente los vegetales. Sin embargo, algunos minerales, como por ejemplo el calcio, pueden encontrarse también en productos de procedencia animal como la leche.

Un grupo de vitaminas y minerales que últimamente está muy de moda son los llamados *antioxidantes*: las vitaminas A (como el betacaroteno), C y E, y minerales como el selenio, el hierro, el zinc, el cobre y el manganeso. Se cree que los antioxidantes, que se encuentran fundamentalmente en la verdura y las frutas frescas, protegen el cuerpo contra las agresiones dañinas de los radicales libres (moléculas inestables producidas de forma natural por el cuerpo durante procesos en los que toma parte el oxígeno, como respirar o generar energía). También asimilamos radicales libres del aire que respiramos. Los radicales libres que se producen en nuestro cuerpo son beneficiosos, porque forman parte de nuestro sistema inmunológico, que ataca a los invasores externos. Sin embargo, el exceso de radicales libres que absorbemos de nuestro entorno puede sobrecargar nuestro organismo y provocar enfermedades cardíacas, cáncer y envejecimiento prematuro. Ingerimos radicales libres potencialmente dañinos mediante la respiración, el tabaco y el humo de los coches; también mediante la exposición a radiaciones procedentes, por ejemplo, de los rayos-X y los ordenadores, el consumo de comidas fritas, a la barbacoa o procesadas, la ingesta de cantidades excesivas de alcohol y determinados medicamentos, como antibióticos y esteroides. Sin embargo, la buena noticia es que puede proteger su organismo contra los radicales libres con una dieta rica en antioxidantes (ver la *Tabla de nutrientes* de las páginas 116-117) y, como *política de seguridad*, tomando a diario un complemento antioxidante. Investigaciones recientes realizadas en la Universidad de California han revelado que una combinación de otros tres suplementos (el ácido alfa-lipoideo, la L-carnitina y la coencima Q10) funciona también como un poderoso antioxidante, potencia los niveles de energía del cuerpo y revierte el proceso de envejecimiento de forma tan eficaz que se le conoce ya como el *elixir de la vida*.

Finalmente, es importante añadir a nuestra dieta las sustancias llamadas fitonutrientes, entre las que se hallan los flavonoides, los caretonoides y los fitoestrógenos. Estos compuestos tan saludables se encuentran sólo en alimentos provenientes de las plantas, como la fruta fresca, las verduras y los productos integrales. Recientes investigaciones han descubierto que una ingesta elevada de fitonutrientes puede ayudar a combatir las enfermedades degenerativas y a fomentar el bienestar a largo plazo.

COMBATIR LA OSTEOPOROSIS

La osteoporosis, que significa literalmente *huesos porosos*, es un estado que provoca la formación de pequeños agujeros en los huesos, que presentan más propensión a romperse. La enfermedad puede afectar a todo el esqueleto, pero generalmente provoca fracturas de cadera, columna y muñecas, pérdida de peso y curvaturas de la columna. Puede creer que esta dolencia sólo afecta a los ancianos, pero no es así. Según la Fundación Nacional para la Osteoporosis de los Estados Unidos y la Sociedad Nacional para la Osteoporosis del Reino Unido, una de cada tres mujeres y uno de cada doce hombres de más de cincuenta años sufre osteoporosis. Sin embargo, adoptando determinados comportamientos se puede reducir el riesgo de desarrollar la enfermedad y mantener un esqueleto fuerte y flexible.

Intente llevar una dieta equilibrada, con una buena proporción de alimentos ricos en calcio que le ayuden a mantener la masa ósea. Entre esos alimentos se encuentran las sardinas, las nueces, el *tahini*, el queso desnatado, las alubias, las verduras de hoja verde, el tofu y los frutos secos. Su cuerpo necesita también vitamina D (para ayudarle a absorber el calcio) y magnesio (para metabolizar el calcio y sintetizar la vitamina D). La mejor fuente de vitamina D es la luz solar, de modo que pase tanto tiempo como pueda al aire libre. Incluya también en su dieta pescado azul como el salmón.

Otra medida preventiva fácil de adoptar es hacer ejercicio físico: correr, saltar a la comba, andar deprisa o levantar pesos, un ejercicio excelente para incrementar la densidad ósea.

LA FUENTE DE LA ETERNA JUVENTUD

Un buen vaso de agua fresca y pura es clave para conservar la buena salud y también la belleza, ya que mantiene la piel tersa y joven. Pero lo más importante es que, al igual que el oxígeno, es necesaria para nuestra supervivencia. Necesitamos beber de ocho a diez vasos de agua al día (aproximadamente unos 2 litros) para mantener una ingesta de fluidos adecuada. Ésa es la recomendación mínima teniendo en cuenta que el cuerpo elimina 2,5 litros de agua al día. No obstante, la ingesta deberá ser mayor si está enfermo, si la temperatura es alta, si hace ejercicio o si es mujer y está embarazada o en proceso de lactancia. La cantidad total de agua que necesita dependerá de su estilo de vida particular, pero la regla de oro es que debe beber un litro de agua por cada mil calorías que queme. Recuerde que está quemando calorías constantemente, incluso mientras descansa, y que cuanta más masa muscular tenga, más calorías consumirá.

Nuestro cuerpo está formado por agua en un 70-75 %. El agua es esencial para regular la temperatura corporal, y también para disolver sólidos y transportar nutrientes por el cuerpo. El agua ayuda a la piel y a los riñones a eliminar toxinas y depura el organismo, tanto por dentro como por fuera. Si no bebe suficiente agua su salud se resentirá: tal vez le falte energía, sufra problemas digestivos, la fibra de su dieta no sea capaz de eliminar las toxinas de su cuerpo, o sus funciones hepática o renal sean insuficientes. Si sufre hinchazones provocadas por la retención de líquidos (premenstruales o de otro tipo), notará que cuanta más agua beba, más efectivo será su cuerpo a la hora de eliminar el exceso de líquido del organismo. Eso es así porque el agua diluye la concentración de sodio en el cuerpo, que es lo que provoca la retención de fluidos.

Tal vez crea que sabrá cuándo se está deshidratando porque entonces tendrá sed. Sin embargo, para cuando el cerebro le envíe las señales que le indiquen que debe beber, probablemente habrá perdido ya una gran cantidad de agua en su cuerpo. Así pues, en lugar de esperar a tener sed, es recomendable que se familiarice con los síntomas clásicos de la pérdida de líquido para poder comenzar con el proceso de rehidratación antes de que la situación sea demasiado grave. Los síntomas son: orines irritantes y oscuros, estreñimiento, calambres musculares, dolor de cabeza, boca seca, lengua saburral y mal aliento, letargo y problemas de concentración, mareo, cansancio e irritabilidad. (Por supuesto, muchos de estos síntomas pueden indicar también la existencia de enfermedades, de modo que si persisten no dude en consultar a un médico.)

El agua es su mejor fuente de líquido. ¡Sea una uva y no una pasa!

BEBA MÁS AGUA

Mis tres *R* no se enseñan en las escuelas, pero deberían enseñarse: Reanimar, refrescar y rehidratar. Siga las directrices que encontrará a continuación para llenar sus niveles de agua.

- Comience el día con un tazón de agua caliente y una rodaja de limón fresco. Eso limpiará su sistema y eliminará las toxinas del hígado.

- Si no está acostumbrado a beber dos litros de agua diarios intente beber un vasito cada hora, desde que se levanta hasta que se acuesta.

- Cuando tenga hambre, tome uno o dos vasos de agua antes de comer: la sensación de deshidratación puede confundirse a menudo con hambre.

- Facilite la ingesta de agua teniendo siempre un vaso lleno sobre la mesa de trabajo o una botella en el bolso o en el coche para poder ir bebiendo durante la jornada laboral.

- Beba agua antes de hacer ejercicio y mientras lo hace. Beba un vasito 15 minutos antes de empezar y luego beba pequeños sorbos durante el ejercicio; el agua estimulará su metabolismo para que queme grasas y no altere las reservas de glicógeno (energía) de los músculos.

- Beba siempre un poco más de agua si vive en un clima cálido (o en una habitación caldeada y mal ventilada) para reponer el agua que probablemente perderá mediante un aumento de la transpiración.

- Siempre que sufra un resfriado, gripe, fiebre, vómitos o diarrea, su cuerpo perderá agua con más rapidez de lo habitual y le será más fácil sentirse deshidratado. Asegúrese de que compensa esa pérdida excesiva incrementando la ingesta de agua.

- Si le gusta beber té o café, cerciórese de contrarrestar el efecto diurético de la cafeína bebiendo dos vasos más de agua por cada taza de té o de café que consuma. (También puede probar las infusiones: son más sanas que el café y los tes normales.) Muchos refrescos contienen también cafeína; compruebe los niveles y beba más agua si ingiere cafeína de esa forma.

COMER: TODA UNA EXPERIENCIA

Comer es un placer simple y sensual. La comida que vemos, olemos, tocamos y cogemos (incluso el mero sonido de preparar una comida) puede contribuir a disfrutar más aún del sabor y a potenciar nuestra experiencia alimenticia. Ése es el motivo por el que un festín moderado de, pongamos, pan tostado, ensalada fresca, aceitunas, quesos suaves, fruta madura, y un batido largo y frío resulta mucho más satisfactorio que, por ejemplo, un bocadillo rápido engullido con un refresco con gas. La digestión funciona también de forma más eficiente cuando se come despacio y se dedica el tiempo necesario a saborear los alimentos.

Sin embargo, la vida moderna en Occidente es rápida y fácil; para cumplir con todas nuestras obligaciones intentamos ahorrar tiempo picando cualquier cosa entre horas. Si bien una comida relajada no siempre es lo más práctico, dedicar la hora de la comida para ponerse al día con el trabajo o para hacer recados no ayuda en absoluto a potenciar su bienestar. Aunque disponga tan sólo de una pausa de media hora para comer, rendirá mucho más por la tarde si utiliza ese tiempo para hacer una pausa del trabajo y se concentra en comer. De vez en cuando intente preparar una comida rápida para llevársela a la oficina (en las páginas 107-115 encontrará algunas sugerentes recetas para comidas y tentempiés), y alguna vez dese un capricho y salga a comer a un restaurante que le guste, no necesariamente caro; el tiempo que dedique preparando la comida o haciendo cola para conseguir una mesa en el restaurante se verá más que recompensado por el placer y los beneficios de salud que le reportará una comida sabrosa y saludable.

Para algunas personas la comida no es más que el enemigo de las cinturas delgadas y ven en la negación de su verdadero apetito el camino para lograr su peso ideal. Sin embargo, al saltarse comidas, comer poco o limitar drásticamente la ingesta de determinados tipos de comida sólo logran animar a su organismo a almacenar grasa, no a perderla. Si comieran más pero eligieran alimentos equilibrados y nutritivos podrían perder peso al tiempo que disfrutarían del placer de comer.

Una comida deliciosa y sana no es nunca aburrida; es un festín tanto para la vista y el olfato como para el paladar. Visualice el amplio espectro de colores que se pueden encontrar en frutas y vegetales, desde manzanas rojísimas, zanahorias, naranjas y plátanos amarillos hasta pimientos verdes, berenjenas morado intenso y granadillas marrones; piense en las diversas formas y tamaños de, pongamos, una platija y un atún, o un guisante y una calabaza; imagine el fresco olor del limón, la fragancia embriagadora del mango maduro, el apetitoso aroma de un pastel integral de manzana o de un asado de pollo; finalmente, conjure la variedad de tentadoras texturas: nueces crujientes, la suavidad de un queso cremoso, una barra de pan, crujiente por fuera y tierna por dentro. ¿Son alimentos poco saludables? ¡Por supuesto que no! Algunos, como el pastel de manzana o el queso, pueden serlo consumidos en exceso, pero si se toman con moderación son ingredientes sabrosos y saludables de la dieta. Asegúrese de que dispone de una buena variedad de alimentos para estimular su paladar y recuerde: la comida sana no tiene por qué ser ni aburrida ni insípida.

Cuando va a un restaurante, el entorno contribuye al disfrute sensual de la comida: dónde se sienta, la decoración de la mesa, la iluminación, el ambiente; todo cuenta. Lo mismo sucede cuando se come en casa. Si, por ejemplo, está acostumbrado a comer en el sofá mirando la televisión, trate de cambiar ese hábito y sentarse en una mesa donde pueda concentrarse en la comida. Haga un esfuerzo para poner la mesa de forma atractiva, aunque coma solo. Todo lo que necesita es un mantel elegante, cubiertos relucientes, una servilleta limpia y tal vez una flor como centro de mesa. Intente hacer de cada comida una comida especial. Cuando tenga invitados puede ser más suntuoso y utilizar, por ejemplo, un mantel con servilletas a juego, la vajilla y la cubertería de los domingos, etcétera. Puede decorar la mesa con velas y flores frescas, y atenuar la luz de la sala para crear una atmósfera informal. Todos esos detalles añaden un placer estético a la comida y favorecen la digestión, porque ayudan a disfrutar de la comida con tranquilidad y sin estrés.

Existe en el mundo un grupo creciente de entusiastas, conocidos como los *slow foodies*, que disfrutan preparando, cocinando y comiendo comida sana. Les gusta dedicar horas a comer y cenar, en un restaurante o tomando un simple tentempié. El *Movimiento de la comida lenta* (*Slow Food Movement*), nacido en Italia y que utiliza un caracol como emblema, fomenta el goce pausado y relajado de la comida en su estado natural o casi natural. Eso no significa que la comida tenga que ser cruda, sino que no debe estar excesivamente procesada o cocinada: la idea es maximizar la ingesta nutricional a la vez que se disfruta del delicioso sabor de los alimentos.

Adoptar por completo la filosofía de la *comida lenta* puede parecer algo poco práctico (para muchos de nosotros no es plausible organizar desayunos o comidas placenteras cada día), pero seguir los principios de este tipo de alimentación puede contribuir a cocinar y comer de forma más sana. Aunque se desee pasar el menor tiempo posible en la cocina, siga leyendo; le mostraré cómo preparar comidas deliciosas de forma simple para disponer de más tiempo para su vida social y disfrutar de la experiencia de comer. Pruébelo y ya verá.

¿LE GUSTA PLANEAR Y DISFRUTAR DE LAS COMIDAS O COME SIN PRESTAR ATENCIÓN? TAL VEZ HACE TIEMPO QUE COME SIEMPRE LO MISMO Y LE VENDRÍA BIEN CAMBIAR. PUES BIEN, AQUÍ LO TIENE. DESDE EL «CUENCO DE MELÓN DE ANN» HASTA EL «*KEDGEREE* POTENTE», DESDE LA «FRITADA REVUELTA DE MARISCO» HASTA LOS «CREPES DE FRUTA», HE SELECCIONADO MIS RECETAS FAVORITAS PARA DEVOLVER LA CHISPA A DESAYUNOS, COMIDAS, CENAS Y TENTEMPIÉS. SON PLATOS SANOS Y DELICIOSOS. ¡PRUEBE Y COMPRUEBE!

RECETAS

DESAYUNOS CON VITALIDAD

El desayuno es la comida más importante del día, pero a menudo es a la que le dedicamos menos tiempo; nos conformamos con un café o incluso nos la saltamos.

El ayuno nocturno, mientras dormimos, provoca un descenso del nivel de azúcar en la sangre, lo que causa una carencia de glucosa en el cerebro. Si no desayuna, no repondrá la glucosa y esa deficiencia afectará negativamente a su memoria y su concentración. Las personas que se saltan el desayuno suelen también ganar peso porque no dan a su metabolismo un empujón inicial y probablemente terminen consumiendo más grasas en un intento de aumentar su bajo nivel de azúcar en la sangre. Una reciente encuesta de la Universidad de Cardiff, Gales, realizada entre 500 voluntarios que gozaban de buena salud, ha descubierto que aquellas personas que no tomaban una comida consistente por la mañana eran mucho más propensas a sufrir resfriados y gripes.

El desayuno debe reportarle los nutrientes esenciales que necesitará durante el día. Intente tomar un desayuno nutritivo, simple y rápido de preparar. Pruebe a variar lo que come cada mañana y considere el desayuno como una buena forma de revolucionar sus gustos a primera hora de la mañana. Ya sea algo frío o caliente, desayunar bien le ayudará a comenzar bien el día.

Cada receta viene acompañada por los tres nutrientes más importantes que se encuentran entre sus ingredientes.

YOGUR «LEVANTARSE Y LISTO»

(para 1 persona) *proteínas, calcio, AGEs*

1 yogur biológico natural
1 puñadito de frutos y bayas como fresas, frambuesas, grosellas rojas y negras, arándanos, etcétera.
almendras enteras sin tostar, al gusto
miel líquida, opcional
1 cucharadita de semillas varias, como pipas de girasol y de calabaza, sésamo y linaza

Ponga el yogur en un cuenco y cúbralo con las frutas y las bayas, unas cuantas almendras y, si lo desea, un chorrito de miel. Espolvoree con las semillas y sirva.

ENSALADA TEMPLADA DE FRUTAS

(para 1-2 personas) *fibra, antioxidantes, calcio*

1 bolsa de frutos secos variados
2 tazas y media de zumo de manzana ($^1/_2$ litro)
especias diversas, como canela, nuez moscada, etcétera (opcional)
yogur biológico natural al gusto
frutos secos diversos picados, como nueces, almendras, pacanas, etcétera (opcional)

Ponga los frutos secos en remojo en el zumo de manzana la noche anterior. Por la mañana, cueza los frutos remojados a fuego lento en una sartén durante 10-15 minutos y, si lo desea, añada una pizca de especias. Sirva caliente con yogur y cubierto de frutos secos.

PAPILLA DE LOS TRES OSOS (NO QUEDA NADA PARA RICITOS DE ORO)

(Para 1-2 personas) *fibra, proteínas, calcio*

1 taza de avena orgánica gigante
1 taza de leche (o alguna alternativa no láctea)
1 taza y media de agua
$^{1}/_{2}$ taza de frutos secos varios, como ciruelas pasas, dátiles, orojones, uvas pasas, higos...
miel líquida al gusto
canela en polvo al gusto

Ponga la avena, la leche (o la alternativa no láctea) y el agua en una sartén y lleve a ebullición. Cueza a fuego lento, removiendo de vez en cuando, hasta que la papilla obtenga la consistencia deseada. Vierta la papilla en un cuenco, corte los frutos secos y échelos por encima. Añada un chorrito de miel líquida por encima y una pizca de canela.

TORTILLA DE DESAYUNO (foto superior derecha)

(para 4 personas) *proteínas, antioxidantes, complejo de vitamina B*

2 cucharadas de aceite de oliva extra
100 g de champiñones cortados en láminas
2 tomates grandes bien picados
5 huevos de ave de corral batidos
1 cucharada de leche (o alguna alternativa no láctea)
sal marina
pimienta negra fresca en grano
1 cucharada de orégano picado
50 gramos de queso cheddar rallado
orégano fresco para aderezar (opcional)

Caliente el aceite de oliva en una sartén pequeña y saltee los champiñones cortados en láminas hasta que cojan un tono ligeramente dorado. Añada los tomates picados y saltee. Ponga los huevos, la leche (o una alternativa no láctea), la sal, la pimienta negra y el orégano en un cuenco y bátalo hasta que quede espumoso. Añada la mezcla a los champiñones y el tomate. Cueza la tortilla a fuego medio unos 5 minutos o hasta que esté dorada por debajo y cuajada por arriba (para comprobar si está dorada por abajo, levante con cuidado un extremo con la ayuda de una espátula). Espolvoree el queso rallado por encima y gratine la tortilla a fuego rápido hasta que se dore también por arriba. Pase la tortilla con cuidado a un plato caliente y corte en porciones. Si lo desea, decore el plato con el orégano fresco y sirva con rebanadas de pan integral o panecillos.

KEDGEREE POTENTE (imagen superior)
(para 4 personas) *proteínas, carbohidratos complejos, antioxidantes*

250 g de filetes de eglefino ahumado
1 cebolla pequeña picada
1 ajo picado
1 cucharadita de *garam masala*
1 cucharada de aceite de oliva virgen extra
el zumo de $^1/_2$ limón
4 tomates, picados
$^1/_2$ taza de perejil y cilantro frescos, picados y mezclados
pimienta negra fresca en grano
225 g de arroz *basmati* integral cocido
1 cucharadita de piñones o anacardos tostados (opcional)
2 huevos duros cortados en cuartos, para decorar
2 tomates cortados en cuartos, para decorar
espigas de cilantro fresco, para decorar

Hierva ligeramente los filetes de eglefino con agua suficiente para que los cubra durante unos 10-15 minutos o hasta que estén tiernos; la carne fresca debe desmenuzarse con facilidad al tocarla con un tenedor. Seque los filetes, quíteles la piel y desmenúcelos. Saltee la cebolla picada, el ajo y el *garam masala* en el aceite virgen extra durante unos 5 minutos. Añada el zumo de limón, los tomates picados, el perejil, el cilantro fresco y la pimienta negra fresca. Cueza 5 minutos más a fuego lento. Añada el arroz y el pescado en la sartén, mézclelo todo y páselo a un plato de servir caliente. Si lo desea, eche los piñones o los anacardos tostados encima del *kedgeree* y aderece con el huevo duro, el tomate troceado y las espigas de cilantro fresco. Este plato es delicioso servido con una cesta de panes variados.

COMIDAS SUCULENTAS

Por mucho que haya tomado un buen desayuno, no se sienta tentado de saltarse la comida. Si lo hace, sus niveles de azúcar en la sangre caerán en picado por la tarde y terminará con dolor de cabeza o picando algo dulce cargado de calorías vacías.

La mayoría de personas necesitan ser capaces de preparar la comida deprisa, pero eso no significa que usted tenga que conformarse con un bocadillo cada día. Intente basar sus comidas en las proteínas, con algunos carbohidratos añadidos y mucha verdura y fruta fresca. Comer platos ricos en proteínas al mediodía le permitirá estar atento por la tarde, mientras que si come un plato rico en carbohidratos, como por ejemplo pasta, es más probable que le entre sueño. Los carbohidratos tienen un efecto soporífero, de modo que resérvelos para la cena.

He aquí unas cuantas recetas sencillas, rápidas de hacer y que se pueden preparar por la mañana (algunas de ellas incluso la noche anterior).

TRUCHAS AL LIMÓN

(para 1-2 personas) *AGEs, fibra, complejo de vitamina-B*

2 filetes de trucha ahumados
2 cucharadas de aceite de oliva extra virgen
1 cucharada de zumo de limón
pimienta negra fresca en grano
aros de cebolla bien finos
rodajas de limón
perejil fresco

Corte los filetes de trucha en tiras y colóquelas en un cuenco. En otro cuenco mezcle el aceite de oliva, el zumo de limón y bastante pimienta negra fresca. Eche la mezcla sobre las tiras de pescado con una cuchara y métalo en la nevera durante toda la noche. Cuando se lo vaya a comer, coloque el pescado en una bandeja, cúbralo con los aros de cebolla y aderece con las rodajas de limón y el perejil fresco. Si lo desea, vierta por encima el resto del aliño y sirva con pan integral.

FUENTE VEGETARIANA

(para 4 personas) *fibra, carbohidratos complejos, antioxidantes*

Utilice tantas verduras de temporada como encuentre y desee: patatas baby, judías verdes, puntas de espárrago, calabacines, maíz, zanahorias baby, kimbombó, guisantes, grumos de brócoli, pimientos rojos, amarillos y verdes, tomates cherry, ramas de apio, etcétera.
hojas de albahaca fresca para decoración
bastoncitos de pan

Aliño

$^1/_2$ taza (60 ml) de vinagre balsámico
1 cucharada de aceite de oliva virgen extra
1 cucharada de mostaza de Dijon

Ponga las patatas en una olla y cueza hasta que estén blandas. A continuación cueza también las demás verduras hasta que estén blandas, pero aún crujientes. Refresque los vegetales con agua fría y luego colóquelos sobre una fuente grande. Cubra y reserve en la nevera. Cuando sea casi la hora de comer, combine los ingredientes del aliño, saque la fuente de la nevera y vierta el aliño por encima de la verdura. Aderece con hojas de albahaca frescas y sirva con bastoncitos.

HUMMUS

(para 6-8 personas) *proteínas, AGEs, antioxidantes*

1 bote de garbanzos cocidos, escurridos
2 dientes de ajo, pelados y picados
el zumo de 1/2 limón
2 cucharadas de aceite de oliva virgen extra
2 cucharadas de *tahini* (pasta de sésamo)
3 cucharadas de yogur biológico natural
1/2 cucharadita de comino
pimienta negra fresca en grano
perejil fresco para aderezar

Introduzca todos los ingredientes (excepto la pimienta negra y el perejil) en la licuadora y mezcle hasta obtener un puré espeso. Añada pimienta negra al gusto. Aderece con perejil fresco. El *hummus* es delicioso para acompañar la Fuente vegetariana.

ROLLITOS LIGEROS DE PITA (arriba a la derecha)

(para 1 persona) *carbohidratos complejos, proteínas, antioxidantes*

1 pan de pita integral cortado en dos mitades planas
1 cucharada de puré de tomate
guarnición: pimientos dulces y tomate; atún y maíz, pesto, hojas de albahaca frescas, etcétera.
1 cucharada de queso cheddar rallado

Cubra ambas mitades del pan de pita con salsa de tomate y luego recubra con los ingredientes elegidos. Espolvoree el queso, enrolle el pan y sujételo con un palillo. Colóquelo en una bandeja de hornear en el horno caliente y cueza hasta que esté crujiente (aproximadamente 15-20 minutos). Sirva caliente o frío.

CUENCO DE MELÓN DE ANN (siguiente página, derecha)

(para 4 personas) *proteínas, AGEs, antioxidantes*

4 pechugas de pollo, cocidas y sin piel
4 ramas de apio con hojas
4 tazas de gambas, cocidas y peladas
sal marina
pimienta fresca en grano
2 melones de la Galia maduros
perejil de hoja plana, para aderezar

Aliño

aceite de colza, de cacahuete y nuez, dos cucharadas de cada
2 cucharadas de vinagre de vino blanco
2 cucharadas de mostaza integral
$^{1}/_{2}$ cucharada de miel

Guarnición

2 tazas de queso fresco desnatado
2 cucharadas de piñones tostados

Corte las ramas de apio y las pechugas de pollo en taquitos. Trocee también las hojas del apio. Colóquelo todo en un cuenco grande con las gambas. Sazone con sal y pimienta negra. Meta los ingredientes del aliño en otro cuenco y mézclelos. Vierta el aliño encima del apio, el pollo y las gambas, remueva y guarde todo en la nevera en adobo. Corte los melones por la mitad, horizontalmente, y quíteles las semillas. Con una cuchara, saque toda la pulpa, córtela en trozos grandes y haga una muesca en un lado de la cáscara. Saque el cuenco con el apio, el pollo y las gambas de la nevera y añada la pulpa de melón cortada. Disponga el apio, el pollo, las gambas y la pupa del melón dentro de las pieles vacías de melón y colóquelas en platos, dejando que una parte del contenido caiga por las muescas sobre el plato. Cubra las mitades del melón con queso fresco, sal y pimienta negra al gusto, y eche un puñado de piñones tostados por encima. Aderece con el perejil de hoja plano y sirva con panecillos integrales.

ENSALADA DE CÍTRICOS

(para 4 personas) *carbohidratos complejos, proteínas, antioxidantes*

300 g de arroz integral
2 cucharadas de aceite de nuez
2 cucharadas de zumo de naranja recién exprimido
3 cucharadas de piñones tostados
2 naranjas, peladas y cortadas en gajos
4 pechugas de pollo* cocidas, peladas y cortadas
2 cucharadas de frutos secos picados: almendras, nueces del Brasil, pacanas, nueces…
2 cucharadas de hojas de menta fresca, picadas
pimienta negra fresca en grano
una rama de menta fresca para aderezar

Ponga el arroz integral en un cazo con agua caliente y hierva hasta que esté tierno. Cuélelo, añádale parte del aceite de nueces y deje enfriar. Ponga la naranja acabada de exprimir y el resto de aceite de nueces en un cuenco grande. Añada dos cucharadas de piñones tostados y el resto de ingredientes. Mezcle bien. Incorpore el arroz integral. Eche el resto de piñones tostados por encima de la ensalada y aderece con menta fresca.

*Pruébelo también con filetes de *quorn* o gambas frescas: es una alternativa deliciosa.

CENAS DELICIOSAS

Para muchas personas, la cena es la comida principal del día. Eso, sin embargo, no significa que tenga que ser un elaborado banquete a base de comida pesada y abundante. De hecho, se trata de todo lo contrario: al planificar una cena piense en calidad, no en cantidad, porque debe tratarse de la comida más ligera del día: sana y nutritiva, pero sin que eso comprometa el sabor.

Consideremos el motivo. En primer lugar, comer mucho por la noche significa ingerir una cantidad sustanciosa de calorías en un momento en el que generalmente no necesitamos gastar muchas energías: justo antes de acostarnos. Como resultado, nuestro cuerpo almacena todas las calorías que no utilizamos entre la cena y la hora de ir a dormir como grasa y, por lo tanto, engordamos. En segundo lugar, comer hace que el ciclo metabólico se acelere, a la vez que aumenta la temperatura corporal. En cambio, una hora antes de irnos a dormir el cuerpo necesita que la temperatura *baje* para poderse preparar para el sueño. Así pues, si comemos mucho con un margen inferior a tres horas antes de acostarnos, el consiguiente aumento de la temperatura corporal puede afectar seriamente a nuestra capacidad de dormir.

He aquí algunas recetas deliciosas que satisfarán su apetito sin llenarle el estómago en exceso.

ENTRANTES

ROLLITOS DE CALABACÍN Y RICOTA

(para 1 persona) *fibra, carbohidratos complejos, antioxidantes*

1 calabacín
aceite de oliva extra virgen
1/2 pimiento rojo pequeño
2 cucharadas de queso ricota
1 cucharadita de pesto
hojas de rúcola
sal gruesa
pimienta negra fresca en grano
virutas de queso parmesano
tomates cherry

Corte el calabacín bien fino longitudinalmente y cuézalo en una sartén, rociándolo con el aceite hasta que quede dorado por ambos lados. Apártelo de la sartén y déjelo enfriar. Quite las semillas del pimiento rojo, córtelo longitudinalmente y páselo por la sartén. A continuación coloque las rodajas de calabacín y cúbralas con una capa de queso y una de pesto. Ponga una tira de pimiento rojo encima de cada trozo de calabacín, sazone con la sal y la pimienta negra, y cubra con hojas de rúcola. Enrolle las tajadas asegurándose de que todo queda dentro. Disponga los rollitos sobre un lecho de hojas de rúcola, y aderece con virutas de parmesano y tomates cherry.

PLATOS PRINCIPALES

PESCADO EN *PAPILLOTE*

(para 1 persona) *proteínas, AGEs, antioxidantes*

1 filete de pescado: salmón, bacalao, corvina, etcétera
hierbas frescas como albahaca, orégano, perejil...
especias como pimentón, cúrcuma, jengibre fresco rallado, etcétera
pimienta negra natural en grano
Guarnición: tomates cortados, tiras de pimiento rojo y verde o rodajas de limón o lima.

Corte un trozo de papel de plata de unos 25 centímetros de lado y coloque el filete en el centro. Sazone el pescado con las hierbas, las especias y pimienta negra al gusto. Añada las coberturas que haya elegido. Cierre el papel de modo que le quede un paquetito y cuézalo con el horno fuerte entre 15 y 25 minutos, hasta que el pescado esté tierno. Sirva con patatas nuevas y vegetales, o arroz y ensalada.

VERDURAS MEDITERRÁNEAS

(para 1 persona) *fibra, carbohidratos complejos, antioxidantes*

Una mezcla de verduras de temporada como espárragos, calabacín, hinojo, berenjenas, chirivías, pimientos rojos, verdes o amarillos...
dientes de ajo pelados al gusto
cebollas rojas, peladas y cortadas en aros
tomates
sal marina y pimienta negra fresca en grano
aceite de oliva virgen extra
hojas de albahaca fresca

Poche los tubérculos durante unos 10 minutos. Saque las semillas y corte el resto de verduras en trozos grandes. Colóquelos en una bandeja de horno con los dientes de ajo pelados, los aros de cebolla y los tomates. Sazone y aliñe con aceite de oliva. Ase en el horno a fuego fuerte entre 30 y 45 minutos. Cuando esté asado, aderece con hojas de albahaca fresca y sirva con pasta integral o pan.

SOFRITO DE MARISCO

(para 1 persona) *carbohidratos complejos, proteínas, AGEs*

75 g de arroz integral o salvaje, cocido
1 puñado y medio de vegetales sofritos, como maíz, pimientos, champiñones, brotes de soja, castañas de agua, cebolletas, etcétera, cortados en tiras o en dados
1 puñado grande de marisco variado, como gambas, mejillones, sepia, veneras, trozos de filetes de pescado fresco...
1 guindilla, sin pepitas y picada bien fina
1 cucharada de jengibre fresco, rallado
sal marina; pimienta negra fresca en grano
tamarin o salsa de soja fermentada de forma natural
1 cucharada de aceite de cacahuete o de colza
semillas de sésamo para aderezar

Caliente el aceite en el wok a fuego fuerte. Ponga la verdura a cocer a fuego medio o fuerte unos 5 minutos, sin parar de remover. Añada el marisco, la guindilla picada y el jengibre rallado, y cueza 5 minutos más, de nuevo sin dejar de remover. A continuación añada el arroz cocido. Sazone la mezcla con sal, pimienta negra y salsa de soja al gusto, y fría sin dejar de remover otros 5 minutos. Rocíe con semillas de sésamo y sirva con panecillos integrales de corteza dura.

ATÚN CON SALSA

(para 1 persona) *proteínas, AGEs, antioxidantes*

1 filete de atún

Salsa

$^1/_2$ papaya, pelada, sin pepitas y cortada en dados

$^1/_2$ mango, pelado, sin pepitas y cortado en dados
1 lima
$^1/_2$ pimiento rojo, sin pepitas y cortado en dados
hojas de cilantro fresco

Cueza el filete de pescado a la plancha o rocíe con aceite de oliva y páselo por la parrilla. Prepare la salsa: ponga la fruta y la pimienta roja en un cuenco, añada el zumo de media lima, una pizca de cilantro picado y mezcle bien. Corte el resto de la lima en rodajas. Aderece el pescado con las rodajas de lima y el cilantro. Sirva con la salsa, ensalada mixta y pasta o patatas.

FRITURA DE MAÍZ DULCE

(para 4 personas) *proteínas, fibra, antioxidantes*

1 cebolla picada bien fina
1 diente de ajo machacado
1 rama de apio picada bien fina
4 champiñones picados bien finos
1 cucharada de aceite de oliva extra virgen
1 calabacín picado bien fino
1 pimiento rojo picado bien fino
5 huevos grandes de ave de corral
2 cucharadas de leche desnatada
200 g de maíz dulce en lata escurridos
perejil fresco picado
4 cucharadas de queso Monterrey (cheddar curado) rallado
sal marina
pimienta negra fresca en grano

Ponga la cebolla, el ajo, el apio, los champiñones y el aceite de oliva en una sartén pequeña para hornear y saltéelos hasta que estén blandos. Cueza el calabacín y el pimiento rojo hasta que comiencen a dorarse. Casque los huevos en un cuenco, añada la leche, la sal y la pimienta negra, y bata la mezcla hasta que quede espumosa y sin grumos. Incorpore las verduras cocidas a la mezcla con huevo, añada el maíz dulce, un poco de perejil picado y la mitad del queso, y remueva. Sazone bien. Vierta la mezcla en la sartén de hornear sin dejar de remover. Cueza la fritura a fuego bajo entre 5 y 10 minutos o hasta que esté casi cuajada. Espolvoree el resto del queso encima de la fritura y coloque la sartén bajo un grill precalentado durante 1 minuto para que el queso se derrita y se dore ligeramente. Aderece con perejil fresco y sirva con hojas de rúcola y tomates cortados.

RICOTA DE POLLO (O *QUORN*)

(para 1 persona) *proteínas, antioxidantes, complejo de vitamina-B*

1 pechuga de pollo deshuesada y pelada, o un filete de *quorn*
1 cucharada de queso ricota
1 tomate cortado bien fino
hojas de albahaca fresca
pimienta negra fresca en grano

Parta la pechuga de pollo (o el filete de *quorn*) por la mitad sin cortarla del todo. Caliente la plancha y pase la pechuga de pollo (o el *quorn*) hasta que esté dorada. Rellene con el queso ricota, el tomate cortado y las hojas de albahaca fresca. Siga cociendo a fuego lento hasta que el pollo (o el *quorn*) esté hecho. Aderece con más albahaca fresca y pimienta negra. Sirva sobre un lecho de arroz o pasta con ensalada verde.

POSTRES

FRUTA EN *PAPILLOTE*

(para 1 persona) *fibra, antioxidantes, potasio*

Una selección de frutas de temporada como dátiles, ciruelas, higos, manzanas, peras, fresas, frambuesas, melocotones ...
Especias como canela, clavo, anís, nuez moscada, etcétera
zumo de fruta fresca, de naranja o manzana, por ejemplo
un chorrito de vino o licor de su elección, opcional

Prepare la fruta. Pele, deshuese y saque las pepitas de la fruta grande y córtela en pedazos pequeños; utilice la fruta pequeña entera. Ponga la fruta en un cuenco, añada las especias, el zumo y el alcohol (si lo va a usar) y mezcle bien. Corte un trozo de papel de aluminio de unos 20 cm de lado y coloque la mezcla en el centro. Cierre el papel de modo que le quede un paquete. Cueza a horno fuerte entre 15 y 20 minutos. Sirva el contenido en cuencos con yogur, queso fresco o helado y nueces picadas.

HIGOS RELLENOS

(para 1 persona) *antioxidantes, complejo de vitamina B, calcio*

1-2 higos frescos
1 cucharada de yogur griego por cada higo
miel líquida
pistachos o almendras picados
menta fresca

Haga un corte en forma de cruz en la parte superior de los higos y ábralos en cuatro partes. Coloque en un plato. Con la ayuda de una cuchara, meta el yogur griego dentro de cada higo, cubra con miel y eche las nueces por encima. Aderece con las hojas de menta fresca y sirva.

FRUTA A LA PLANCHA

(para 4 personas) *fibra, antioxidantes, calcio*

1 piña madura pelada, deshuesada y cortada
1 mango pelado y deshuesado
1 nectarina deshuesada y cortada
1 melocotón deshuesado y cortado
3 albaricoques deshuesados y cortados
azúcar glasé para aderezar
canela fresca para aderezar
1 lima cortada en cuartos para aderezar

Guarnición:
yogur griego
ralladura de $^1/_2$ lima

Caliente la plancha y cocine cada tipo de fruta por separado entre 3 y 4 minutos. Cuando todas las frutas estén hechas, resérvelas. Con un colador, eche el azúcar y la canela sobre un plato caliente. Disponga unas cuantas frutas a la plancha en el centro de cada plato y eche una cucharada de yogur griego por encima. Espolvoree un poco de ralladura de lima y aderece con la lima cortada en cuartos. Sirva enseguida.

TENTEMPIÉS Y BATIDOS

¿Cuántas veces ha oído el consejo: «No hay que picar entre comidas»? Muy bien, pues quiero que borre esa instrucción de su mente y se prepare para comer menos en las comidas importantes, con un par de nutritivos tentempiés entre una y otra. ¿Por qué? Su metabolismo se va ralentizando a medida que usted se va haciendo mayor, pero comer menos suele reducir ese debilitamiento y mantiene el metabolismo activo hasta la vejez. Además ayuda a mantener un nivel de azúcar constante y evita que llegue a estar tan hambriento que se abalance sobre la primera comida procesada o azucarada que vea.

Yo he criado a mis dos hijas con un tentempié cada día sobre las 11 de la mañana. Eso salvaba el espacio entre el desayuno y la comida, y aseguraba que comieran a tiempo para evitar punzadas de hambre. Intente convertir en un hábito el hecho de comer algo ligero a esa hora. Las cuatro de la tarde es el otro momento habitual de bajada proteínica, de modo que es recomendable tomar un tentempié sobre esa hora, para que le ayude a mantenerse hasta la hora de cenar. Algunas personas también duermen mejor si comen o beben un poco justo antes de acostarse; lo ideal es que sea algo con un alto contenido proteínico que le proporcione al cuerpo triptopan, un aminoácido que ayuda a dormir.

En cuanto se acostumbre a tomar tentempiés se preguntará cómo era capaz de seguir adelante sin ellos. Utilice las sencillas recetas que encontrará a continuación para adquirir más fácilmente el hábito de detenerse para tomar un tentempié o un batido; muchos de ellos pueden prepararse con antelación y se los puede llevar al trabajo. (Si eso le resulta poco práctico, puede sustituirlo por una pieza de fruta fresca y cargada de vitaminas.)

POMELO A LA PARRILLA

(para 1 persona) *fibra, antioxidantes, potasio*

1/2 pomelo fresco
miel líquida al gusto

Separe los gajos de pomelo, pero no los despegue de la piel. Eche miel por encima y colóquelo bajo la parrilla hasta que se dore. Sirva enseguida.

CITA A CIEGAS (foto superior derecha, vaso de la derecha)

(para 1 persona) *proteínas, carbohidratos complejos, fibra*

1 taza de yogur biológico natural desnatado
1/2 taza de leche descremada (o alguna alternativa no láctea)
1 plátano grande
4 dátiles sin hueso
1 cucharadita de miel líquida
1 cucharada de *tahini* (pasta de sésamo)

Ponga todos los ingredientes en la licuadora y bata hasta que la mezcla esté espumosa y sin grumos. Vierta en un vaso largo y sirva enseguida.

BATIDO POTENTE (foto superior derecha, vaso de la izquierda)
(para 1 persona) *carbohidratos complejos, fibra, complejo de vitamina B*

1 plátano u otra fruta blanda y grande
1 cucharada de semillas varias picadas (girasol, sésamo, calabaza y linaza)
1 cucharadita de miel líquida
leche (o una alternativa no láctea)

Ponga todos los ingredientes en la licuadora y bata hasta que la mezcla esté espumosa y sin grumos. Vierta en un vaso largo y sirva enseguida.
Nota: este batido puede tomarse como desayuno, cuando tenga prisa o cuando no tolere la comida sólida.

TORTAS DE FRUTA (foto inferior)
(para 12 tortas grandes) *proteínas, fibra, antioxidantes*

280 g de pasta de aceite de oliva bajo en grasas
300 ml de zumo de manzana puro
450 g de copos de avena grandes
50 g de semillas de girasol y de calabaza, mezcladas
50 g de frutos secos picados, como orejones, dátiles, pasas, etcétera
50 g de nueces picadas
1 cucharada de miel (opcional)
1 cucharadita de canela (opcional)

Precaliente el horno a temperatura media. Derrita lentamente la pasta de aceite de oliva, el concentrado de manzana y la miel (si utiliza) en una sartén. Incorpore el resto de ingredientes y remueva hasta que quede una mezcla compacta. Pase la masa a un cazo de hornear poco profundo y antiadherente, alise la superficie y cueza durante 25 minutos aproximadamente, o hasta que se dore. Corte en 12 porciones, o en 24 más pequeñas, y deje enfriar. Almacene en un recipiente hermético.

TABLA DE NUTRIENTES

NUTRIENTE	ORIGEN (DE LAS RECETAS INCLUIDAS EN ESTE LIBRO)
AGES (OMEGA-3A Y OMEGA-6S)	aceites prensados en frío, nueces, pescado azul (omega-3a) –por ejemplo, arenque, arenque ahumado, caballa, salmón, sardinas, atún–, semillas –linaza, pipas de girasol y de calabaza, sésamo–
CARBOHIDRATOS COMPLEJOS	fruta, patatas, legumbres, verduras, gramíneas integrales (arroz integral, por ejemplo), pan de trigo integral, cereales integrales, pasta integral
FIBRAS	plátanos, judías, frutos secos, salvado de avena, cebollas, guisantes, *quorn*, maíz dulce, pan integral
PROTEÍNAS	almendras, pollo, huevos, pescado, leche, salvado de avena, *quorn*, brotes de soja, yogur
VITAMINA A / BETACAROTENO	verduras de hoja oscura, frutos secos, huevos, naranjas, frutas y verduras de pulpa amarilla y roja, como mangos y tomates
VITAMINA C	albaricoques, grosella negra, brócoli, coles de Bruselas, col, cerezas, cítricos, uvas, guayabas, col rizada, kiwis, mangos, cebollas, papayas, perejil, pimientos, fresas, maíz dulce, tomates, berros
VITAMINA E	almendras, espárragos, aceites prensados en frío (incluidos aceites de cacahuete y de colza), verdura de hoja oscura, huevos, *hummus*, nueces, salvado de avena, cacahuetes, semillas (especialmente pipas de girasol), productos de soja, tomates y gramíneas integrales
VITAMINA B1	cacahuetes, *quorn*, pipas de girasol, pasta integral
VITAMINA B2	almendras, queso (cheddar y queso de cabra, entre otros), pollo, champiñones
VITAMINA B3	pollo (sin piel), huevos, pescado, pipas de girasol
VITAMINA B5	zanahorias, huevos, cacahuetes, guisantes, brotes de soja, pipas de girasol, gramíneas integrales
VITAMINA B6	aguacates, plátanos, zanahorias, pechugas de pollo (sin piel), arroz, salmón, brotes de soja, pipas de girasol, atún, nueces
VITAMINA B12	queso cheddar, almejas, huevos, pescado
VITAMINA D	huevos, halibut, arenque, salmón, sardinas, trucha, atún
COENZIMA Q10	brócoli, nueces, pescado azul (especialmente la caballa y las sardinas), espinacas, alimentos integrales
CALCIO	judías, pan, queso, frutos secos, verduras de hoja oscura, leche, almendras, salvado de avena, perejil, semillas de amapola, gambas, sardinas (con espinas), semillas de sésamo, tofu, yogur
CROMO	queso, huevos, marisco, gramíneas integrales
COBRE	judías, cangrejo, verduras de hoja oscura, avellanas, lentejas, aceitunas, guisantes, gramíneas integrales
YODO	huevos, pescado, leche, marisco, pipas de girasol
HIERRO	arroz integral, anacardos, pollo, frutos secos y hierbas, jengibre, salvado de avena, cebollas, perejil, semillas de sésamo y de soja
POTASIO	plátanos, ajo, frutos secos (especialmente nueces del Brasil, anacardos, avellanas, piñones y nueces), cebollas, patatas, gambas, legumbres, tomates
LECITINA	huevos, pescado, salvado de avena, cacahuetes, arroz, brotes de soja
LICOPENO	uvas negras o rojas, tomates, sandía
MAGNESIO	frutos secos (especialmente nueces del Brasil, anacardos, avellanas, piñones y nueces), salvado de avena, perejil, gambas, semillas de sésamo, pipas de girasol
MANGANESO	aguacates, moras, avellanas, salvado de avena, guisantes, pacanas, té
SELENIO	nueces del Brasil, queso, frutos secos, huevos, lentejas, leche, champiñones, pasta, arroz, semillas, crustáceos (incluidas las gambas), gramíneas integrales, yogur
ZINC	arroz integral, anacardos, pollo, cangrejo, huevos, pescado azul, ostras, queso parmesano, piñones, gambas, *quorn*, semillas (especialmente las semillas de amapola y las pipas de girasol), gramíneas integrales, pan integral

VENTAJAS

Responsable de la producción energética. Ayuda al organismo a eliminar los excesos de grasa y de agua. Previene algunos cánceres. Reduce los síntomas de la artritis y puede ayudar a tratar la depresión. Los ácidos grasos del pescado azul protegen el sistema cardiovascular, aclaran la sangre y evitan que las arterias se atasquen.

Incrementa la producción de seratonina del cerebro, el compuesto químico responsable de las sensaciones de calma, bienestar y energía positiva. (Si los niveles de seratonina decaen, nuestro humor se deteriora y nuestros niveles energéticos se desploman.) Liberación lenta de azúcares, lo que propicia un nivel de azúcar en sangre equilibrado.

Mantiene los intestinos sanos –puede ayudar a prevenir el cáncer de intestinos y el IBS (síndrome de intestinos irritables)–.

Proporciona los componentes principales para el cuerpo. Esencial para la renovación, mantenimiento y reparación de las células, producción de enzimas, y para el crecimiento y desarrollo en niños.

Antioxidante. Se almacena en los tejidos grasos del cuerpo y del hígado. Respalda al sistema inmunológico. Esencial para la renovación y la salud de piel, pelo y uñas; ayuda a conservar la vista.

Antioxidante. No se puede almacenar en el cuerpo, de modo que es necesario consumir alimentos ricos en vitamina C cada día para reponer existencias. Esencial para un sistema inmunológico fuerte. Refuerza el tejido conjuntivo, los huesos y los dientes. Ayuda a la absorción de hierro. Ayuda a curar heridas.

Antioxidante. Estimula y regenera el sistema inmunológico. Mantiene la piel sana y ralentiza los efectos del envejecimiento. Disminuye el riesgo de sufrir enfermedades cardíacas y cáncer. Mejora los niveles de actividad del esperma en los hombres. Aclara la sangre y protege las arterias.

Esenciales para el mantenimiento de un sistema nervioso y endocrino sanos, para la reparación y reconstrucción de tejidos, y para la producción de energía y la digestión. Solubles en el agua.

Alivia los nervios cansados y disminuye los niveles de estrés. Esencial para la absorción de calcio y fósforo en el cuerpo.

Facilita el proceso de producción de energía. Posee propiedades antioxidantes que protegen el cuerpo de enfermedades como ataques cardíacos, cáncer, infertilidad y distrofia muscular. Mejora la actividad deportiva de forma natural.

Esencial para una masa ósea y una dentadura fuertes. Protege contra la osteoporosis. Importante para las funciones muscular y nerviosa, así como para la coagulación de la sangre. Opera en combinación con el magnesio.

Equilibra el nivel de azúcar en la sangre.

Antioxidante. Se almacena en la sangre, los huesos y el hígado, por lo cual se necesita sólo en pequeñas cantidades.

Esencial para el buen funcionamiento de las tiroides.

Aumenta la resistencia a infecciones y ayuda a sanar heridas. Es un componente vital de los glóbulos rojos, responsables de la capacidad de transportar oxígeno a las diversas partes del cuerpo. Para su absorción se precisa de vitamina C.

Ayuda a contrarrestar los efectos de una dieta rica en sodio. En combinación con éste ayuda a regular los fluidos corporales. Regula el latido del corazón, la presión sanguínea y el sistema nervioso.

Evita una presión de la sangre excesivamente alta y reduce los niveles de colesterol. Ayuda a disolver los cálculos biliares.

Protege contra muchos tipos de cáncer y contra los ataques cardíacos.

Antioxidante. Metaboliza el calcio y sintetiza la vitamina D. Importante para mantener el corazón sano. Alivia los calambres musculares.

Mejora la absorción de hierro en el cuerpo y es útil en determinados estados, como el de anemia.

Es el mineral antioxidante fundamental. Opera en combinación con la vitamina E para reforzar las funciones del sistema inmunológico. En pruebas controladas se ha observado que la ingestión de un suplemento diario de 22 mcg de selenio incrementa de forma sustancial la protección contra el cáncer de próstata, pulmón y de colon-recto, las enfermedades cardíacas y el envejecimiento prematuro.

Antioxidante. Vital para el funcionamiento del sistema inmunológico. Opera en combinación con el calcio para reforzar los huesos y ayuda a prevenir la osteoporosis. Esencial para un sistema reproductivo, una fertilidad y un desarrollo fetal óptimos. Mantiene la piel sana.

TIEMPO PARA MÍ ...

Tiempo para mí es el tiempo que le queda después de trabajar, hacer ejercicio, y cumplir con los deberes familiares y domésticos. A algunas personas eso les parecerá un chiste o, en el mejor de los casos, les sonará como algo que ya apenas recuerdan.

Pero es importante darse cuenta de que el tiempo que pasamos solos o con los amigos, alejados de las responsabilidades cotidianas, es esencial para la propia supervivencia, particularmente en este mundo acelerado en el que vivimos.

Buscar tiempo para usted (para pasear, soñar, meditar, charlar con un amigo o simplemente para descansar) no tiene por qué ser una fantasía. Véalo más bien como una inversión en su bienestar y felicidad constantes. Los ejercicios y sugerencias de este capítulo le servirán de guía, desde la micromeditación hasta cómo lograr un sueño profundo y reparador, pasando por la curación mediante el aura y la risoterapia.

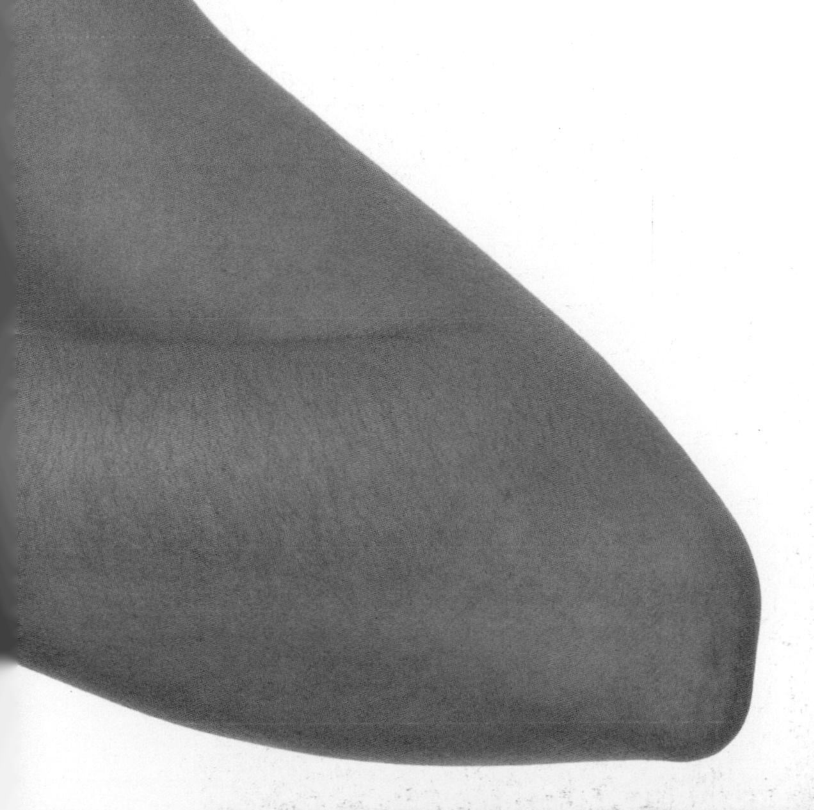

EL ESTRÉS DEL DÍA A DÍA TIENE UN EFECTO SUTIL PERO PROFUNDO EN LA MENTE Y EN EL CUERPO, DEL CUAL NO SIEMPRE SOMOS CONSCIENTES. ENTONCES, DE PRONTO, UN DÍA NOS DESCUBRIMOS INCAPACES DE RECORDAR LA ÚLTIMA VEZ QUE NOS SENTIMOS LLENOS DE ENERGÍA, EN PAZ CON EL MUNDO O INCLUSO LIBRES DE DOLORES. LA AUTOCURACIÓN ES EL ARTE DE UTILIZAR EL TACTO, LA RESPIRACIÓN Y EL PODER DE LA MENTE PARA MEJORAR NUESTRA CALIDAD DE VIDA. ¡SIN GONGS, CAMPANITAS, NI TÚNICAS! SÓLO USTED EN UN ESPACIO TRANQUILO EN EL QUE PRACTICAR.

AUTOCURACIÓN

MANOS SANADORAS

LA MANO SOBRE EL CORAZÓN

Este ejercicio es similar al utilizado en Reiki (una técnica japonesa de curación mediante las manos). Realícelo donde sea, mientras ve la televisión o antes de una reunión, para mitigar el cansancio corporal o para calmar la ansiedad mental.

1. Siéntese cómodamente, ya sea en una silla o en el suelo. Inspire dos veces por la nariz, llenando los pulmones hasta la mitad. Sus ojos pueden estar abiertos o cerrados. Mientras dure el ejercicio, mantenga el cuerpo inmóvil. Observe cómo su mente y su cuerpo se ralentizan.

2. Póngase la mano (con la palma mirando hacia su cuerpo) sobre el pecho, a la altura del corazón, y pídale a la mano que dirija la energía vital hacia aquella parte del cuerpo o de la mente que la necesite. Apoye la otra mano en la pierna. Siga respirando por la nariz. Es posible que sus manos se calienten o se enfríen como resultado de la energía sanadora que emana de ellas. También puede notar cómo su corazón se ralentiza.

3. Tras uno o dos minutos, inspire profundamente por la nariz y espire en un suspiro por la nariz o por la boca. Libere sus manos, sacúdalas y devuelva su atención al mundo exterior.

SANAR LAS RODILLAS

Las articulaciones de las rodillas sostienen constantemente el peso de todo el cuerpo. Este ejercicio proporciona una forma de devolverles la fuerza y sanarlas dirigiendo la energía hacia ellas.

1. Siéntese en una silla sin cruzar ni las piernas ni los pies, y con los pies planos en el suelo. Apoye las palmas de las manos en las rodillas con los dedos apuntando hacia el suelo.

2. Relájese y respire por la nariz. A continuación envíe la energía sanadora a través de las manos hacia las rodillas. No existe ninguna técnica especial para ello, es tan sencillo como parece. Recuérdese, si lo necesita, que todos tenemos el poder de dar y recibir fuerza sanadora a través de las manos; eso es algo que sabe cualquier adulto o niño pequeño.

3. Siga respirando por la nariz. Manténgase relajado. Esté atento a cualquier cambio de temperatura que se produzca en las manos o en las rodillas. Permita que su mente divague: para este ejercicio no necesita estar intensamente concentrado.

4. Tras dos minutos, inspire profundamente por la nariz y espire en un suspiro por la nariz o por la boca. Libere sus manos, sacúdalas y devuelva su atención al mundo exterior. Repita este ejercicio a diario, especialmente si sufre dolor de rodillas.

! *No intente realizar este ejercicio si tiene las articulaciones de las rodillas inflamadas por culpa de una artritis reumatoide.*

MICROMEDITACIONES

OBSERVE SU RESPIRACIÓN

Este ejercicio de micromeditación utiliza la respiración para centrar la mente. Ayuda a calmar los pensamientos caóticos y a regular la respiración para lograr una tranquilidad más profunda.

1. Siéntese en una silla con el respaldo recto y un asiento rígido o bien sobre una almohada en el suelo, con las piernas cruzadas. Si utiliza una silla, siéntese cerca del borde, con el peso sobre las nalgas. A continuación apoye las manos en las rodillas. Mantenga los hombros y la columna rectos. Respire con normalidad.

2. Cierre los ojos y centre su atención en la respiración. Siga mentalmente cada aliento mientras atraviesa sus orificios nasales, viaja hacia sus pulmones y vuelve a salir. Observe cómo su respiración se va volviendo gradualmente más lenta y profunda.

3. Al cabo de cinco minutos abra los ojos. Comience a respirar normalmente de nuevo. Quédese unos instantes sentado sin moverse antes de devolver la atención a su vida cotidiana.

OBSERVE SUS PENSAMIENTOS

Utilice este ejercicio para reducir su parloteo mental, librarse de los pensamientos que le distraen y guardar *los importantes.*

1. Siéntese en una silla o con las piernas cruzadas en el suelo, mirando hacia una pared blanca. Deje las manos sobre el regazo. Mantenga los ojos abiertos.

2. Respire normalmente: no mantenga el aire ni se concentre en la respiración. Convénzase poco a poco de que debe relajarse. Permita que su mente vague libremente.

3. Observe cómo sus pensamientos toman forma y se desvanecen, pero no deje que éstos le distraigan. Si se le ocurre algo importante, no le dé más vueltas y clasifíquelo en su *archivador* mental. Observe sus pensamientos de esta forma durante cinco minutos. Cuando esté preparado, revise mentalmente los pensamientos que ha descartado. Y a continuación líbrese de ellos.

○○○ CERRAR LA CREMALLERA DEL AURA

Cada uno de nosotros tiene un aura, un campo de energía electromagnética que se expande fuera del cuerpo en forma oval. Un extremo del óvalo se extiende por encima de nuestras cabezas y el otro bajo nuestros pies, hundiéndose en el suelo. Un aura está hecha de franjas de color que emanan del cuerpo, algo así como las franjas del arco iris pero con colores más traslúcidos. Las auras forman parte del *cuerpo sutil*. Mientras que la visión convencional de cuerpo nos dice que está formado de materia física como huesos, órganos y tejidos, el cuerpo sutil es una forma alternativa de percibirnos a nosotros mismos en términos de *energía vital* intangible que fluye por nosotros y a nuestro alrededor.

Aunque la mayoría de nosotros no podemos ver las auras, hay algunas personas extremadamente sensibles a la energía de los demás que pueden no sólo ver auras, sino trabajar con ellas y sanar sus desequilibrios. Si tiene usted la suerte de ver el aura de los demás, puede que vea una brillante luz blanca o azul que comienza al principio de la piel y se expande hacia afuera. Esta capa, pegada al cuerpo, representa el estado de salud de la persona; un aura clara y brillante es signo de bienestar, mientras que un aura turbia y oscura muestra la posible presencia de un problema.

Cualquier enfermedad, dolencia, trauma físico o intervención quirúrgica alterará su aura y formará agujeros en ella. Esos huecos pueden ralentizar significativamente su tiempo de recuperación. Por fortuna, existen técnicas de autoayuda para cerrarlos utilizando la simple capacidad sanadora de las manos (las manos son importantes transmisores y receptores de energía). Para sanar los agujeros del aura tras una lesión o una operación, coloque la palma de la mano mirando hacia el punto de la herida (pero sin tocarlo). A continuación, simplemente, mueva la mano con un movimiento circular mientras centra su mente en la intención positiva de acelerar el proceso de curación.

Al igual que refleja la salud física, el aura refleja también los estados emocionales y mentales. Si está estresado, deprimido o tiene una actitud negativa hacia su vida, su aura estará apagada, mientras que si se encuentra en un estado de ánimo positivo, su aura brillará con fuerza, atrayendo hacia ella energías, situaciones y personas positivas de todo tipo, y protegiéndole de las energías negativas. Su aura existe en un estado de flujo porque está en cambio constante, ya que refleja su humor y su estado mental. Por ejemplo, si medita o hace algo de lo que verdaderamente disfruta (como, por ejemplo, escuchar o interpretar música) su aura brillará con fuerza. En cambio, si por ejemplo se enzarza en una discusión destructiva con su pareja, su aura se debilitará y apagará. En los ejercicios de la página siguiente le explico cómo trabajar con el aura para hacerla brillar con fuerza y energía.

CERRAR LA CREMALLERA DEL AURA

Este ejercicio reforzará el campo energético que envuelve su cuerpo y le proporcionará una inyección de confianza y bienestar. Utilícelo cuando se sienta estresado, ansioso o necesite un estímulo.

1. Comience de pie, con las piernas ligeramente separadas y las rodillas dobladas. Inspire. A continuación estabilice su centro y espire a medida que arquea lentamente la columna hacia los pies.

2. Enderécese de nuevo utilizando los brazos y las manos, con las palmas mirando hacia arriba, para que la energía se disperse por su cuerpo de abajo arriba, desde los pies hasta el rostro. ¿Nota una oleada de energía positiva? Repita dos veces más. A continuación intente el movimiento inverso: disperse la energía de arriba abajo (con las palmas mirando hacia el suelo), de la barbilla al suelo. ¿Cómo se siente ahora? El movimiento ascendente estimula el aura, mientras que el descendente la hace menguar.

3. Termine en un momento álgido: disperse la energía de abajo arriba con un rápido movimiento de cerrar la cremallera hacia arriba. A continuación inspire profundamente y espire. Entonces ponga las luces largas (ver página 27) y ¡listo!

CERRAR EL AURA

Éste es un ejercicio de proyección de color que puede utilizar para protegerse cuando deba enfrentarse a personas o situaciones negativas. También puede utilizarlo simplemente cuando desee sentirse más positivo.

1. Puede empezar sentado, de pie o echado en una posición cómoda. Inspire profundamente, mantenga la respiración brevemente mientras cuenta hasta cinco; entonces espire lentamente, liberando toda la tensión.

2. Cierre los ojos y visualice una capa de hojas doradas que van envolviendo lentamente su cuerpo, empezando por los pies y subiendo lentamente hasta cubrirle la parte alta de la cabeza. El dorado es el principal color protector: su reflexividad y su pureza evitarán que cualquier energía negativa penetre en su aura.

3. Ahora se encuentra encerrado en un capullo de protección dorado que se expande y se hace cada vez más grueso a su alrededor. Está a salvo de todo elemento negativo exterior; la única negatividad que le puede afectar es la que procede de su interior, de modo que asegúrese de que sus pensamientos e intenciones se mantengan positivos. Quédese dentro del capullo tanto tiempo como desee.

TENDEMOS A LLEVAR UNAS VIDAS TAN AJETREADAS QUE A MENUDO PODEMOS PASAR SEMANAS SIN TENER TIEMPO DE IR A DAR UN PASEO POR UN LUGAR HERMOSO, REÍR SONORAMENTE POR ALGO QUE NOS PARECE DIVERTIDO, O SIMPLEMENTE ASEGURARNOS DE QUE GOZAMOS DE UN SUEÑO REPARADOR. EN ESTE CAPÍTULO ENCONTRARÁ UNA SERIE DE CLAVES SENCILLAS PARA VIVIR DE FORMA MÁS POSITIVA, ENCONTRANDO TIEMPO PARA QUERERSE MÁS, APRECIAR Y MIMAR A LOS DEMÁS, Y LLEVAR A CABO SUS SUEÑOS.

VIVIR EN POSITIVO

POTENCIAR LA AUTOESTIMA

¿Cómo reacciona cuando alguien le hace un cumplido? ¿Sonríe y dice *gracias* o se siente avergonzado y responde rápidamente con algo negativo sobre usted? Los cumplidos son regalos magníficos, deliciosos de recibir y más gratos de repartir. Como sucede con cualquier regalo, es poco amable devolverlo a quien nos lo hace, de modo que, ¿por qué no aceptar un cumplido del mismo modo que lo haría con un regalo hermoso, con gratitud, entusiasmo y amor?

La capacidad de aceptar cumplidos y de aceptar el éxito reside en una autoestima sólida. Muchas personas piensan que autoestima es lo mismo que vanidad, y no es así. Autoestima significa respetarnos a nosotros mismos y tener la fuerza de aceptar o de cambiar nuestros defectos. La vanidad, en cambio, significa reclamar siempre la atención y pensar que somos más importantes que los demás.

El primer paso para mejorar la autoestima es silenciar la voz crítica de dentro de nuestra cabeza que nos dice que estamos demasiado gordos, o demasiado delgados, o que no somos tan guapos, o no tenemos tanto éxito o dinero como quisiéramos. En la práctica descubrirá que ahorra una gran cantidad de tiempo y de energías si simplemente deja de criticarse por no ser lo bastante bueno. Descubrir que es falible y que puede cometer errores, como cualquiera, puede resultar extremadamente catártico. Entonces podrá comenzar a dedicarse cumplidos y, lo que es más importante, a creérselos de verdad. En la página siguiente encontrará una serie de sugerencias sencillas y divertidas para lograrlo.

Lo mejor de fomentar la autoestima es que uno deja de depender de los demás para reforzar su sensación de validez y puede empezar a generarla por sí mismo. Eso le deja a uno en una posición mucho más segura en el plano de las relaciones; en lugar de depender constantemente de la aprobación y la validación de los demás (o de estar a merced de sus críticas), se puede relajar confiado, sabiendo que disfruta de sus relaciones por lo que realmente son. Puede dejar de temer al rechazo y, en lugar de envidiar el éxito de los demás, comenzar a celebrarlo. También notará que se vuelve más generoso con su afecto, sus elogios y cumplidos, porque siente que, repartiéndolos, no tiene nada que perder.

Otro gran (y a menudo inesperado) efecto secundario de incrementar la autoestima es que le resultará mucho más fácil decir *no* a todo aquello que no puede o no desee hacer. Conocerá mejor sus límites, podrá comunicarlos confiadamente a los demás. ¡Dispondrá de más tiempo para usted!

QUERERSE Y QUERER A LOS DEMÁS

Muchos de nosotros pasamos la vida reprochándonos algo, ya sea por nuestro aspecto o por no haber logrado todo lo que deseábamos en la vida. Estas sugerencias pueden ayudarle a ser más benévolo y considerado consigo mismo y con los demás.

- Haga una lista de todas sus cualidades positivas, por pequeñas o insignificantes que le parezcan. Recuérdelas con frecuencia. Añada elementos a la lista siempre que pueda.
- Plante la semilla del amor propio diciéndose: «Me apruebo, me quiero» una y otra vez cada día.
- Los sentimientos de envidia y resentimiento son grandes barreras para el desarrollo personal. Intente apreciar el talento y el éxito de los demás sin que ello le haga perder la confianza en sus propios logros personales.
- Recuerde la importancia de hacer cumplidos a los demás. Recibir un halago genuino puede alterar completamente el estado de ánimo o la percepción personal de otra persona. Intente alegrarle el día a alguien cada día.
- Libérese de los pensamientos negativos e inquietantes. Realice el ejercicio de micromeditación de la página 125.
- Salude a las personas de forma positiva, sonriéndoles y preguntándoles cómo están, con verdadero interés.
- Dé las gracias a todo aquél que haga algo por usted, por pequeño que sea. Cuanto mayores sean el respeto y la gratitud que profese por los demás, más recibirá a cambio.
- Pase más tiempo con personas positivas que le hagan sentirse bien. Las personas negativas le dejarán agotado y desprovisto de energías. Si le es posible, ¡apártese de ellas! Si no puede, cierre su aura (vea la página 127).
- Tómese el tiempo necesario para relajar su cuerpo y para mimarse físicamente con ejercicio regular.
- Recuérdese a menudo que de vez en cuando viene bien dejar de esforzarse y simplemente *ser*. Tal como escribió el novelista norteamericano Nathaniel Hawthorne (1804-1864): «La felicidad es una mariposa que no podrá atrapar por mucho que la persiga, pero, si se sienta tranquilamente, tal vez se pose sobre usted».
- Comience a vivir el ahora. Convierta todo lo que hace en algo importante, dedicándole toda su atención, ya sea leer un libro, tomar una ducha o preparar la comida. Meterse de lleno en el presente puede hacer de cada momento una delicia.
- Aprenda el arte de decir *no*. Mire a la otra persona fijamente a los ojos y hable con firmeza pero cordialmente. Ofrezca una razón verdadera para su *no* si dispone de ella, pero no se sienta obligado a dar explicaciones si no es necesario. A veces basta simplemente con un *no* sincero.
- Una técnica de aseveración que le puede resultar útil es la estrategia del *bucle*, consistente en responder a las demandas poco razonables siempre con la misma frase. Si logra mantenerse firme, su persistencia valdrá la pena. Inicialmente es posible que la otra persona se irrite por su firmeza, pero usted no debe perder el control: su argumento es fácil de seguir.

REÍR PARA VIVIR

¿Cuándo fue la última vez que rió de verdad, la última vez que se partió de risa, que la risa le hizo perder el resuello? Si no es capaz de recordarlo, podría ser hora de invertir parte de su tiempo en la terapia de la risa. Reírse tiene un efecto espectacular en el cuerpo y en el alma; hace que el cerebro libere endorfinas, sustancias que proporcionan bienestar y tienen un efecto calmante y analgésico (y que también se liberan si se practica ejercicio cardiovascular o sexo placentero). Una buena carcajada es también un buen ejercicio para el sistema respiratorio, ya que obliga a espirar todo el aire viciado de los pulmones a gran velocidad y a inspirar profundamente, una actividad terapéutica que desata un torrente de oxígeno por todo el cuerpo. Cuando nos reímos, nuestra circulación mejora, ejercitamos el corazón y quemamos calorías: los mismos beneficios que se obtienen al caminar, correr o nadar.

«Reír es la mejor medicina», dice el refrán, y además son muchos los estudios que lo respaldan. La risa provoca un aumento de actividad del sistema inmunológico y del número de linfocitos, que buscan y destruyen las células infectadas o anormales. Si su sistema inmunológico funciona con eficiencia será menos vulnerable a todo, desde resfriados hasta un cáncer; y si se pone enfermo se recuperará mejor y más rápidamente. Cada vez hay más personas que creen que una actitud mental positiva tiene un efecto directo sobre la salud física. Los pacientes de cáncer que conservan el sentido del humor sobrellevan mejor la enfermedad que aquellos que sucumben a la depresión. Norman Cousins, autor de *Anatomy of an Illness,* es famoso por haber recuperado la salud a base de reír: al descubrir que sufría una grave y dolorosa enfermedad, tomó la nada habitual decisión de rechazar la medicina convencional y tratarse con una dieta diaria de series de humor. Observó que cuando reía sonoramente durante unos cuantos minutos llegaba a olvidarse del dolor. Los síntomas de Cousin fueron remitiendo gradualmente hasta curarse de su enfermedad. Aunque se trata de un ejemplo extraordinario, hoy en día los efectos analgésicos de la risa están bien documentados: muchas personas que sufren artritis aseguran que reírse es una de las mejores formas de aliviar sus síntomas.

Sin embargo, tal vez lo mejor de reírse es que tiene la capacidad de hacernos sentir el puro placer, la alegría y el entusiasmo de estar vivos. Cuando uno sonríe no puede estar triste, desesperado o deprimido. Sonreír ante una situación difícil puede disipar el estrés al instante; las investigaciones han demostrado que, al reír, el nivel de hormonas de estrés en el cuerpo disminuye. La risa tiene incluso beneficios cognitivos: en un estudio de la Universidad de Oxford, los estudiantes obtuvieron mejores resultados en exámenes de elección múltiple cuando las preguntas estaban mezcladas con tiras cómicas o con preguntas en clave de humor.

TERAPIA DE LA RISA O RISOTERAPIA

Gozar de un buen sentido del humor es una de las mejores protecciones contra el estrés, la depresión e incluso contra los problemas de salud. He aquí algunas formas para comenzar a ver el lado divertido de la vida.

- Adquiera el hábito de sonreír a la gente. Descubrirá que casi siempre le devuelven la sonrisa y que eso ayuda a mejorar su estado de ánimo.
- Pase tiempo con niños. Observe hasta qué punto el carácter juguetón y la risa son naturales en ellos. Juegue usted también; haga al menos una cosa que no tenga un sentido obvio al día (desde jugar con un yoyó hasta subir a un columpio). Tal como dijo el escritor norteamericano Oliver Wendell Holmes (1809-1894): «No dejamos de jugar porque nos hacemos mayores, nos hacemos mayores porque dejamos de jugar».
- Cultive el arte de bromear con la gente con desenfado y afecto. Encuentre también formas de reírse de usted mismo.
- Si se siente enojado, ansioso o deprimido, rétese a ver el lado divertido de las cosas. Cuando todo parece ir mal es fácil dejarse llevar por la negatividad. Reír ante situaciones difíciles ayuda a apaciguar esa negatividad y le devuelve el control. Propóngase no tomarse nunca más la vida demasiado en serio.
- Adquiera el hábito de ver los aspectos cómicos del día a día. Pregúntese siempre: «¿Qué hay de raro, divertido o peculiar en esto?». Percátese de contradicciones, absurdos, dobles lecturas, rarezas o incongruencias que le hagan sonreír. Asegúrese de que las muestra a otras personas para que también ellas puedan reírse.
- «Te acuerdas de aquel día en que...» Propóngase recordar momentos divertidos que haya vivido con su familia o amigos.
- Ya sea mediante bufonadas o sátira, sepa qué es lo que le hace reír y rodéese de vídeos, libros, revistas y personas graciosas y con un humor afín. Si le gusta la comedia, conviértala en un hábito en su vida cotidiana.
- Si lee algo divertido en un libro, en una revista o en un periódico, recórtelo o cópielo y póngalo en algún lugar donde pueda verlo cada día, por ejemplo encima de su escritorio.

EL PODER DE CAMINAR

Caminar es una buena forma de ejercicio que, a la vez, le relaja y le proporciona tiempo y libertad para pensar. Si los ejercicios Pilates del capítulo 1 le ayudarán a mejorar su fuerza y flexibilidad, caminar le ofrece otras ventajas. De todas ellas, la más importante es que es un buen ejercicio para el corazón. Por eso, dar un paseo enérgico (junto con nadar, hacer *jogging* y correr) son ejercicios cardiovasculares (o aeróbicos). A medida que incremente su ritmo al caminar, el corazón latirá más deprisa e impulsará la sangre más rápido por su cuerpo. Si camina regularmente y a un ritmo lo bastante rápido, su corazón (como cualquier otro músculo del cuerpo) se volverá más fuerte y eficiente. Como resultado será capaz de caminar más rápido y durante más tiempo, y no se sentirá tan cansado y sin aliento durante el camino. Asimismo, gozará de una figura más esbelta, un metabolismo más rápido, una mayor energía y unos músculos más fuertes (¿sabía que al caminar ejercita ni más ni menos que 250 músculos?). A largo plazo, estará aumentando su esperanza de vida y reduciendo a la mitad el riesgo de sufrir enfermedades cardíacas.

Hacer ejercicio regularmente, como por ejemplo caminar, no es sólo una cuestión de estar en forma; se trata también de uno de los mejores antídotos contra el estrés. Más de cien estudios muestran que un ejercicio aeróbico frecuente (al menos tres veces por semana) ayuda a eliminar la ansiedad y fomenta la tranquilidad. Al principio puede ser que esa calma le dure un breve período de tiempo tras una sesión de ejercicios, pero diversos estudios muestran que, si lleva a cabo un programa de ejercicios durante más de diez semanas, la sensación de tranquilidad se prolongará hasta el día siguiente y usted se sentirá mucho menos estresado, en general. El ejercicio es también un antidepresivo excelente: muchas personas que se saben propensas a la depresión adoptan el hábito de caminar para mantener un estado anímico estable. Incluso su memoria se verá beneficiada si hace ejercicio regularmente, ya que la actividad física propicia que incremente el suministro de oxígeno al cerebro y estimula las sustancias químicas que intervienen a la hora de pensar y recordar.

Uno de los hechos que me parecen más increíbles del hábito de caminar es el contacto con la naturaleza. Estar al aire libre, contemplar el cielo y respirar aire fresco es para mí un método instantáneo para levantarme el ánimo y relajarme. Cuando estoy preocupada por un problema o sufro un bloqueo creativo, he constatado que mi cerebro encuentra siempre soluciones y nuevas ideas durante mis paseos. Finalmente, otra ventaja añadida es que caminar nos invita a pasar tiempo al aire libre, bajo el sol, que es una gran fuente de vitamina D. Así pues, y aunque sea en un entorno urbano, haga el esfuerzo de salir a dar un corto paseo cada día en el parque más próximo a su casa para que su mente, su cuerpo y su alma se puedan beneficiar del efecto balsámico de la naturaleza.

CALENTARSE Y ENFRIARSE

Antes de ponerse a caminar para mejorar su estado físico, al igual que con la mayoría de ejercicios aeróbicos, es esencial que caliente. Pruebe el siguiente ejercicio, que estira los tendones de Aquiles y los músculos de la parte inferior de la pierna. A continuación comience a caminar despacio y vaya aumentando el ritmo paulatinamente.

1. Arrodíllese en el suelo, con las nalgas sobre los talones. Levante la rodilla izquierda y apoye el pie izquierdo plano en el suelo junto a la rodilla derecha. Apoye la palma de las manos en el suelo delante de usted. Inspire, espire e inclínese hacia delante sin separar el talón izquierdo del suelo. Mantenga el estiramiento 20 segundos y repita con la pierna derecha.

2. Colóquese a cuatro o cinco pasos de una pared, de pie y con las piernas ligeramente separadas. Inspire y apoye las manos en la pared. Espire, doble los brazos e inclínese hacia la pared sin despegar los talones del suelo. Su cabeza, columna, pelvis, piernas y tobillos deberían estar en línea recta. Mantenga el estiramiento durante 20 segundos.

①

②

CAMINAR CON EL MÉTODO FIT

Si al caminar sigue el método FIT (Frecuencia, Intensidad y Tiempo) quemará aproximadamente 100 calorías por kilómetro, a la vez que relajará su mente, estimulará sus niveles de energía y mejorará su calidad de sueño.

• Frecuencia: salga a caminar entre tres y cinco veces por semana.
• Intensidad: camine deprisa. Su ritmo de respiración debe aumentar (aunque no tanto como para no poder hablar) y debe empezar a sudar al cabo de cinco minutos. Para que el ejercicio le reporte aún más beneficios, suba pendientes o utilice pesos en las muñecas.
• Tiempo: camine entre 20 y 60 minutos cada vez. Incremente paulatinamente la duración de los paseos durante un período de entre tres y seis meses.

LIMPIE SUS SUEÑOS

«Espero lo inesperado y me pasan las cosas más gloriosas.» Estas inspiradoras palabras pertenecen a la escritora y artista norteamericana Florence Scovel Shinn (1871-1940), cuyas enseñanzas metafísicas han guiado mi vida personal y profesional durante los últimos trece años. Su mensaje, en pocas palabras, recuerda que aquello que pensamos o intentamos lo estamos creando. Por ejemplo: si pasa por debajo de una escalera y espera tener mala suerte, la tendrá. La escalera es inocente: son sus expectativas negativas lo que provoca que pasen cosas malas. Del mismo modo, puede lograr que pasen cosas positivas sólo creyendo en ellas.

Por eso es importante saber qué quiere de la vida y conocer sus sueños. Tome mi propia experiencia: durante la recesión de principios de la década de 1990 mi familia se vio obligada a rebajar su nivel de vida y a trasladarse del campo a la ciudad. A pesar de que intentábamos recortar nuestros gastos, yo soñaba con ampliar mi casa y disponer de un espacio en el que instalar mi propio estudio de Pilates. Por fortuna, unos años más tarde me encontraba en una posición económica más desahogada para hacer realidad mis sueños. Dibujé los planos y los envié al ayuntamiento para que diera el visto bueno, y de pronto me encontré atrapada en lo que parecía una espiral interminable de enviar planos, modificarlos, volver a enviarlos y volver a modificarlos. Finalmente los planos lograron la luz verde y me encontré con otro tipo de problemas con los constructores, por no mencionar a los directores bancarios. Cuatro años después de enviar los planos por primera vez, mi estudio Pilates estaba construido y a punto para ser utilizado. Mi sueño se había hecho realidad. Por supuesto, hubo momentos en los que pensé que el estudio jamás se construiría, pero a base de creer en él, alimentarlo y luchar por él, mi sueño me mantuvo al pie del cañón. Incluso durante los momentos más duros, siempre tuve en mente la imagen de mi estudio terminado.

Ha llegado la hora de hacer inventario de sus propios sueños. Tal vez ha deseado siempre expresarse de forma creativa: escribir, pintar, bailar, hacer música. Si éste es su caso, no está solo; millones de hombres y mujeres luchan en secreto con sus deseos de expresarse creativamente, pero jamás llegan a hacerlo. Tal vez tienen miedo de no estar lo suficientemente dotados. Mi consejo es que no hace falta ser el mejor del mundo ni ganarse la vida con ello para justificar una actividad creativa. Probablemente necesite más energía para suprimir su creatividad que para expresarla, de modo que, ¿qué puede perder intentándolo? Pero tal vez sus sueños son de otro tipo, tal vez suspira por una casa más grande o por un trabajo mejor. O sueña con viajar por el mundo. No importa lo imposibles o descabellados que le parezcan sus sueños, no escuche a su crítica interior: quíteles el polvo y atrévase a contemplarlos de nuevo. Coja papel y lápiz (o, mejor aún, cómprese una libreta sólo para eso) y anótelos. Dedique una página para cada sueño, y anote en cada uno cuánto tiempo hace que lo tiene y qué éxitos ha logrado hasta el momento en el intento de cumplirlo. A continuación elija su sueño más codiciado y trace un plan de acción para llevarlo a cabo.

CREAR AFIRMACIONES

La forma de comenzar a ser consciente de sus sueños es creando afirmaciones, declaraciones cortas y simples que contengan un mensaje que le parezca positivo.

Una vez haya desempolvado sus sueños, puede crear afirmaciones basadas en ellos. Por ejemplo, si desea lograr una forma y una salud mejores, su afirmación podría ser: «Estoy creciendo físicamente día a día». O si su sueño es desarrollar su potencial creativo, su afirmación podría ser: «Cada día se desarrolla mi talento para pintar (o escribir, cantar u otra actividad)».

Las afirmaciones también pueden resultarle útiles cuando sus sueños sean poco concretos. Por ejemplo, si desea ganar confianza una buena afirmación podría ser: «Tengo la fuerza y el coraje para enfrentarme a todo tipo de situaciones»; o si desea ser más cariñoso en sus relaciones: «Amo a mi pareja, a mi familia y a mis amigos más y más cada día».

El inconsciente es inmensamente poderoso, acepta instintivamente ideas, pensamientos e instrucciones como si se tratase de verdades absolutas. Las afirmaciones se realizan sembrando la semilla del éxito en el inconsciente, y una vez una idea ha arraigado ahí empezamos a actuar sobre ella. Por ejemplo, si desea lograr un cuerpo más esbelto, puede reforzar ese deseo repitiendo afirmaciones apropiadas que potencien su decisión de comer alimentos más sanos y hacer deporte regularmente.

Tómese el tiempo necesario para crear sus propias afirmaciones o utilice alguna de mis sugerencias. Las afirmaciones deben ser breves, concisas y mejor en presente que en futuro. Repítase la afirmación por lo menos diez veces al día. Sienta realmente el significado de las palabras a medida que las pronuncia o las lee. ¡Prepárese para sorprenderse!

Pronuncie su afirmación en voz alta y hágalo a menudo. Escríbala en un papel y cuélguelo en algún lugar en el que lo vea varias veces a lo largo del día, por ejemplo en su escritorio o en el coche. Comience a creérselo. La incredulidad es el principal obstáculo a la hora de llevar a cabo los propios sueños. Tal como dice Florence Scovel Shinn: «Puede esperar de Dios cualquier cosa buena aparentemente imposible; eso siempre y cuando no restrinja los canales».

Anote los pasos lógicos que necesitaría dar para lograrlo. Por ejemplo, si desea viajar alrededor del mundo, eso puede incluir elegir los destinos, investigar los costes y las diversas rutas, calcular el presupuesto y diseñar un plan que le permita ahorrar el dinero necesario en un espacio de tiempo razonable. A continuación (y esa suele ser la parte que da más miedo) dé el primer paso. ¡Adelante, tal vez se sorprenda!

DULCES SUEÑOS

Una buena noche de sueño reparador tiene un efecto profundo en su bienestar físico, mental y emocional. Cuando se levante por la mañana debería sentirse con ánimos renovados, alerta y de buen humor para enfrentarse al día. Si le faltan horas de sueño, se sentirá olvidadizo, irritable e incapaz de concentrarse o de llevar a cabo hasta las tareas más sencillas. También se sentirá cansado y, a largo plazo, será más propenso a sufrir depresiones y cambios de humor. Las estadísticas muestran incluso que las personas que sufren una carencia de horas de sueño tienen más probabilidades de sufrir un accidente de coche que los conductores borrachos.

Durante las horas que dedicamos a caminar, el cuerpo trabaja duro para quemar alimentos y oxígeno; de este modo crea energía. Mientras dormimos, sin embargo, nuestro metabolismo se ralentiza para conservar esa energía. Si no duerme adecuadamente, su cuerpo responderá iniciando el modo de supervivencia. Eso significa que, al verse privado del período nocturno de conservación de energía, su metabolismo optará por ralentizarse durante el día. El resultado es que durante el día quemará menos calorías de lo habitual y, en última instancia, será más propenso a ganar peso. Algunas personas incluso reaccionan recurriendo a barritas de chocolate, patatas fritas, pasteles o galletas para pasar el día cuando no han dormido las horas suficientes, lo que puede agravar el problema.

Un sueño deficiente o irregular también le hace vulnerable a las enfermedades. El cuerpo ve como se le niega la oportunidad de llevar a cabo los trabajos esenciales de mantenimiento y reparación, y el sistema inmunológico deja de funcionar con eficiencia. Los insomnes crónicos son más proclives a un abanico de enfermedades, incluídas algunas realmente serias como el cáncer (mientras duerme, el cuerpo incrementa la producción de factor de necrosis tumoral, una sustancia que protege contra el cáncer). Además, una falta moderada de horas de sueño reduce los niveles de glóbulos blancos en la sangre, que forman parte del sistema inmunológico, y eso nos vuelve más susceptibles a infecciones como resfriados o gripes.

Así pues, ¿cuántas horas de sueño son necesarias? La respuesta es que todos somos diferentes y que las necesidades de sueño de cada persona tienden a cambiar a lo largo de la vida, con una necesidad menor a medida que nos hacemos mayores. Como norma general, si una hora después de levantarse sigue sintiéndose amodorrado, probablemente necesite dormir más. Por desgracia, muchos nos encontramos precisamente en esa situación simplemente porque llevamos una vida acelerada y estresante. Los médicos atienden cada vez más casos de personas que se quejan por sufrir alteraciones del sueño, porque cada vez les cuesta más conciliar el sueño o permanecer dormidos. Algunas veces el problema se resuelve pronto, pero lo cierto es que puede prolongarse durante meses o incluso años. Por suerte, existen muchas técnicas efectivas y sencillas de autoayuda que le pueden ayudar a restablecer o potenciar sus ciclos de sueño naturales: ¡pruébelas esta misma noche!

SOLUCIONES PARA DORMIR

Todos dormimos mejor cuando estamos mental y físicamente relajados. Siga los siguientes pasos para tener dulces sueños cada noche:

- Acuéstese sólo cuando tenga sueño. Sabrá que ha llegado el momento porque su respiración se hará más lenta y profunda, y notará que su cuerpo se va ralentizando. No mire la televisión justo antes de acostarse.
- Evite las bebidas que contienen alcohol o cafeína, como el té o el café, por la noche. Tome un buen desayuno y una comida copiosa para que la cena pueda ser más ligera. Termine de cenar tres horas antes de la hora habitual de acostarse.
- No se quede despierto en la cama más de 40 minutos. Levántese y haga algo aburrido. No recompense a su mente con una actividad estimulante.
- Utilice la cama para dormir y para hacer el amor, nada más.
- Asegúrese de que dentro de la cama está caliente y abrigado, pero que la temperatura del dormitorio es algo más fría.
- Convierta el dormitorio en un lugar agradable para dormir: tranquilo, cómodo, oscuro y seguro.
- Evite echar siestas durante el día, especialmente a partir de las tres de la tarde.
- No se vaya a la cama con sensación de estrés. Si está inquieto imagine que tiene una caja de las preocupaciones donde meter todos los problemas. Entonces imagine que cierra la tapadera y guarda la caja en la parte trasera de la mente. Pídale a su subconsciente que examine sus problemas mientras duerme y le proporcione soluciones al despertar.
- Si suele despertarse a media noche es posible que sufra un exceso de adrenalina provocado por un nivel bajo de azúcar en la sangre. Para contrarrestar ese efecto, evite comer alimentos que contengan azúcar y harina refinada por la noche. Un suplemento mineral de cromo puede ayudar también a estabilizar los niveles de azúcar en sangre. Tomar entre 300 y 600 mg con la cena.
- Cuando esté en la cama, libere la tensión de todos los músculos del cuerpo, tensándolos primero y relajándolos después, comenzando por la cabeza y bajando hasta llegar a los pies. Dedique especial atención a liberar la tensión de las mandíbulas y de los hombros.
- A la hora de acostarse, establezca una rutina que le prepare para dormirse. Por ejemplo, haga unos estiramientos suaves, tome un baño con seis gotas de aceite esencial de lavanda, reflexione sobre el día e incida en las cosas agradables que le hayan sucedido. Intente seguir esa misma rutina cada noche.

BIBLIOGRAFÍA

Alter, Michael J., *Sport Strech: estiramientos para los deportes,* Madrid, Gymnos, 1994.

Alter Michael J., *Los estiramientos: bases científicas y desarrollo de ejercicios*, Barcelona, Paidotribo, 1999.

Anderson, Bob, *Estirándose,* Barcelona, RBA, 2001.

Fermín Aramburu, *Guía de la anatomía humana*, Barcelona, RBA, 1998.

Calais-Germain, Blandine, *Anatomía para el movimiento,* Barcelona, La Liebre de Marzo, 1994.

Honervogt, Tanmaya, *Reiki,* Barcelona, Parramón, 1999.

Jeffers, Susan, *Gozar de la vida en tiempos de crisis*, Barcelona, Robinbook, 1996.

Kapit, Wynn; Elson, Lawrence M., *Anatomía: libro de trabajo,* Barcelona, Ariel, 2004.

Matthews, Andrew, *Por favor, sea feliz,* Madrid, Exitliber, 1997.

Norris, Christopher M., *La flexibilidad: principios y práctica,* Madrid, Paidotribo, 1998.

Ostrom, Joseph, *Tú y tu aura,* Madrid, Edaf, 2002.

Quindlen, Anna, *Pequeña guía para ser feliz,* Barcelona, RBA, 2001.

Shivapremananda, Swami, *Yoga para el estrés,* Madrid, Gaia, 1998.

Thie, John F., *Toque para la salud,* Barcelona, Indigo, 1998.

Vidal Carou, María del Carmen, *¿Sabemos lo que comemos?,* Barcelona, RBA, 2002.

Weil, Dr. Andrew, *¿Sabemos comer?,* Barcelona, Urano, 2001.

ÍNDICE

AGRADECIMIENTOS

Agradecimientos de la autora
Me gustaría dar las gracias a las siguientes personas: a mi maravilloso marido Andy, el amor de mi vida, por su dedicación, humor y apoyo inagotables; al equipo creativo de DBP, especialmente a Judy Barratt, Ingrid Court-Jones, Marisha Patel, Gail Jones y Emma Rose; a Andy Kingsbury, por sus fantásticas fotografías, su amistad y su apoyo; a Lizzie Lawson y Tinks Reding, por el toque final de glamour y por las risas; a los modelos Louise Cole, Ryan Elliott, Sandra Jones y Sheri Staplehurst; a Ingrid Sørensen, mi primera clienta y gran amiga; a Alex y Jacquie Ebeid, las joyas en mi carrera, por su apoyo positivo, su verdadera amistad y las horas de risas; a Jan Campbel, mi mocita salerosa del norte y la mejor asistenta laboral del mundo; a Diana Mellor, por su inspiración y amistad; a John Dominic (JD), por su amabilidad, sus cenas calientes y sus canciones de armónica; a Gloria, mi ángel sin alas; y, finalmente, a todos mis estudiantes y clientes, pasados y presentes, de quien tanto he aprendido. ¡Gracias a todos!

Agradecimientos de los editores
Los editores quieren dar las gracias a Elizabeth Haylett, de la Sociedad de Autores, y también a Susan Hill, Steve Hurrell, Kirsty Petre y Ann Percival.

LOS COLABORADORES

Sobre la autora
Ann Crowther es una autoridad destacada en los ámbitos de la salud y el estilo de vida. Titulada en estudios de Ejercicios y Salud por la Universidad de East London, completó su formación especializándose en kinesiología, nutrición y tratamiento del estrés. Lleva ya veinte años en el mundo de la salud y el *fitness*. La culminación de su experiencia es su propia adaptación del sistema Pilates, que ofrece un apasionante y poderoso nuevo enfoque para lograr un bienestar holístico.

La experiencia de Ann como entrenadora y asesora es requerida a menudo, tanto en el Reino Unido como en el resto del mundo. Su trabajo incluye conferencias sobre educación sanitaria para empresas y programas de entrenamiento personal para clientes individuales. Tiene una consulta privada en Cheltenham, Gloucestershire, Reino Unido, donde vive con su marido y sus dos hijas.

Contactar con la autora
Para obtener más información sobre Ann Crowther o para comprar sus cintas elásticas especiales, puede visitar su página Web en www.anncrowtherlifestyle.com. También puede mandarle un correo electrónico a: pilatesplusann@hotmail.com.

Sobre la asesora de redacción
Helena Petre es aromaterapista clínica, practica Reiki, y trabaja como escritora y editora independiente especializada en temas de salud de cuerpo y mente. Vive y trabaja en Stroud, Gloucestershire, Reino Unido.